하용조 강해서 전집 15

요한복음 3

예수님은 사랑입니다

(9-12장)

하용조 강해서 전집 15

요한복음 3
예수님은 사랑입니다(9-12장)

지은이 | 하용조
초판 발행 | 2007. 7. 16
개정 1판 발행 | 2010. 3. 5
개정 2판 발행 | 2021. 7. 21
등록번호 | 제1988-000080호
등록된 곳 | 서울특별시 용산구 서빙고로 65길 38
발행처 | 사단법인 두란노서원
영업부 | 2078-3352   FAX | 080-749-3705
출판부 | 2078-3331

책값은 뒤표지에 있습니다.
ISBN 978-89-531-3492-8 04230

독자의 의견을 기다립니다.
tpress@duranno.com   www.duranno.com
*본문에 사용된 성경은 우리말성경임을 밝힙니다.

두란노서원은 바울 사도가 3차 전도여행 때 에베소에서 성령 받은 제자들을 따로 세워 하나님의 말씀으로 양육하던 장소입니다. 사도행전 19장 8-20절의 정신에 따라 첫째 목회자를 돕는 사역과 평신도를 훈련시키는 사역, 둘째 세계선교(TIM)와 문서선교(단행본·잡지) 사역, 셋째 예수문화 및 경배와 찬양 사역, 그리고 가정·상담 사역 등을 감당하고 있습니다. 1980년 12월 22일에 창립된 두란노서원은 주님 오실 때까지 이 사역들을 계속할 것입니다.

하용조 강해서 전집 15

요한복음 3
예수님은 사랑입니다
(9-12장)

두란노

세상에서 가장 강력한 사랑으로
나를 구원하소서

요한복음은 사랑과 능력의 하나님이 예수님을 통해 우리를 생명의 길로 안내하시는 과정을 보여 줍니다. 하나님의 아들이신 예수님이 이 땅에 오신 것은 오직 사랑 때문이었습니다. 사랑 때문에 병든 자의 고통을 긍휼히 여기시고, 사랑 때문에 잃어버린 양을 포기하지 못하십니다. 사랑 때문에 십자가의 고통마저 달게 받으셨습니다.

태어날 때부터 눈먼 사람의 눈을 뜨게 하시고, 그의 영혼을 구원하신 예수님은 세상의 잃어버린 영혼들을 향해 풍성한 삶이 여기 있다고 끊임없이 말씀하며 그들을 부르십니다. 나사로를 무덤에서 불러내어 다시 살리신 것처럼 어둠 속에 있는 영혼들을 빛 가운데로 인도하기 위해 계속해서 그 이름을 부르십니다.

예수님은 한 알의 밀알이 땅에 떨어져 썩음으로써 많은 열매를 맺듯이 우리 죄를 대신하여 십자가에 달려 죽으심으로써 수많은 영혼을 구원하셨습니다. 하나님의 뜻에 순종하여 십자가 죽음의 고통을 기꺼이 감내하셨습니다. 그로 말미암아 하나님 아버지의 이름을 영화롭게 하셨고, 우리에게 구원과 영생의 축복을 주셨습니다. 지금도 십자가의 구원을 믿는 믿음을 통해 많은 영혼이 죽음에서 생명으로 옮겨지고 있습니다.

예수 그리스도께서는 우리에게 영생을 주기 위해 자기 생명을 버리셨습니다. 왜 우리에게 영생을 주십니까? 우리를 사랑하시기 때문입니다. 참 목자께서는 사랑하는 양들이 심판 아래 멸망하는 모습을 도저히 볼 수 없어서 오늘도 친히 양의 문이 되십니다.

이 책을 통해 우리를 부르시고, 치유해 주시는 예수님의 음성을 듣고 그분의 놀라운 사랑과 생명을 경험하며 그 사랑이 우리에게서 흘러넘쳐서 주변과 세상을 변화시키는 사랑의 물결이 되기를 기도합니다.

차례

1부

그 사랑, 내 눈을 여시네

요한복음 9:1-41

우리에게는 희망이 필요합니다. 교회에 다녀도 그냥 왔다 갔다 해서는
아무것도 얻을 수가 없습니다. 우리는 예수님을 만나야 합니다.
그리고 예수님에 관해 깊이 생각해야 합니다.
그분은 하나님의 아들이요 인류의 구원자이시기 때문입니다.
예수님을 만나는 것이 우리에게 복입니다.
감사하게도 예수님은 우리를 만나길 원하십니다.

1

내 아픔은
누구의 죄 때문입니까?

요한복음 9:1-12

그릇된 편견에서 나온 우매한 질문

인생을 살면서 겪게 되는 고난은 크게 세 가지로 분류할 수 있습니다. 베드로가 이것을 잘 정리해 두었습니다.

> 어떤 사람이 억울하게 고난을 당하고 하나님을 생각하며 슬픔을 참으면 이것은 은혜입니다. 여러분이 죄를 지어 매를 맞고 참으면 무슨 칭찬이 있겠습니까? 그러나 여러분이 선을 행하다 고난을 받고 참으면 이것은 하나님 앞에서 은혜입니다(벧전 2:19-20).

첫째, 아무 근거도 없이 억울하게 받는 고난입니다. 누명을 쓰는 경우를 들 수 있습니다. 세상에서 이런 일은 흔히 일어납니다.

둘째, 죄로 인한 고난입니다. 잘못을 저질러서 받는 벌이 이에 해당합니다.

셋째, 선을 행하다 받는 고난입니다. 다른 사람에게 선행을 베풀었지만, 결과적으로 손해를 보는 경우입니다.

세 가지 고난 중에서 우리가 가장 자주 겪는 것은 아마도 두 번째 고난일 것입니다. 대부분 자기 잘못으로 고난을 당합니다. 그러나 예수님이 받으신 고난은 세 번째에 해당합니다. 예수님은 선을 행하다가 고난을 받으신 것입니다.

이번에 예수님이 만나신 사람은 어떤 고난을 받았을까요?

예수께서 길을 가시다가 날 때부터 눈먼 사람을 만나셨습니다(요 9:1).

당시 성전 미문에는 많은 시각장애인이 구걸하고 있었습니다. 거기서 예수님이 날 때부터 눈먼 사람을 만나 주십니다. 그는 자기 잘못으로 눈이 먼 게 아니라 자기 의지와 상관없이 태어날 때부터 앞을 보지 못한 사람이었습니다.

태어날 때부터 눈먼 이 사람은 누구를 원망해야 할까요?

제자들이 예수께 물었습니다. "랍비여, 이 사람이 눈먼 사람으로 태어난 것이 누구의 죄 때문입니까? 이 사람의 죄 때문입니까, 부모의 죄 때문입니까?"(요 9:2).

제자들의 질문을 살펴보면 존재론적이고 신학적입니다. 좀 더 자세히 들여다보면, 매우 현실적이라는 것을 알 수 있습니다. 아주 예리한 면도 있습니다. 삶의 허구성과 이율배반적인 존재에 관한 설명할 수 없는 근본적인 물음을 던지고 있습니다.

그러나 그들의 질문에는 두 가지 허점이 있습니다. 첫째, 눈먼 사람이 아닌 제자들이 질문했다는 점입니다. 고난의 당사자는 눈먼 사람이지 제자들이 아닙니다. 당사자는 오히려 자기 처지에 관해 침묵하고 있습니다. 그에게는 이런 질문조차 사치였는지도 모릅니다. 그의 관심은 오로지 구걸하는 데 있습니다.

그에 비해 제자들은 타인의 고난을 빌어 예수님에게 질문하느라 말이 많습니다. 이처럼 고난 가운데 있는 사람은 침묵하는데, 주변 사람들이 설왕설래하는 일이 허다합니다.

둘째, 그들의 질문은 그릇된 편견과 관행에서 비롯되었다는 점입니다. 제자들은 눈먼 사람의 상황을 정확히 파악하지 못한데다가 두 가지 편견에 사로잡혀 있었습니다.

어떤 편견입니까? 하나는 부모의 죄가 자식에게 전해진다는 편견입니다. 이는 성경 말씀을 잘못 해석한 데서 비롯된 편견입니다. 성경은 하나님이 "아버지의 죄를 그 자식에게 갚되 3, 4대까지"(출 20:5) 갚으시고, "아버지의 죄를 그 자식들과 그의 자손들에게 3, 4대에 걸쳐 징벌"(출 34:7)하신다고 말합니다. 하나님의 말씀이니 틀림없습니다. 그러나 이 말씀을 확대 해석하여 아버지가 잘못하면 그 자식이 병든다는 식으로 해석하는 것은 잘못입니다. 모든 것을 아버지의 탓으로 돌리게 되기 때문입니다.

또 하나는 모든 질병이 죄로 인한 결과라는 편견입니다. 당시 사람들은 질병의 원인을 아주 단순하게 생각했습니다. 자기 자신이나 조상의 죄로 병에 걸린다고 생각한 것입니다.

그릇된 편견이 장애인을 죄인 취급하는 그릇된 관행을 낳았습니다. 이러한 잘못된 편견과 관행이 결국 인생으로 하여금 질병과 죄의식에서 벗어나지 못하게 하고, 불행하게 만들었습니다.

병에 걸리거나 인생의 실패를 맛보는 것을 모두 죗값으로 본다면, 대체 우리는 어떻게 살아가야 할까요? 또한 죄를 짓고도 건강하게 잘살고 있는 사람들은 어떻게 설명하면 좋을까요? 성경이 "오, 그들의 눈이 얼마나 거만한지! 눈꺼풀을 치켜올리고 남을 깔보는 무리가 있다"(잠 30:13)고 말할 정도로 악한 사람들이 잘 먹고 잘사는 것을 어떻게 해석해야 할까요? 누가 이런 질문에 대답할 수 있겠습니까?

밤이 오기 전에 주님의 일을 하라

예수님은 제자들의 우매한 질문에 명쾌하게 대답해 주십니다.

> 이 사람의 죄도, 그 부모의 죄도 아니다. 다만 하나님께서 하시는 일들을 그에게서 드러내시려는 것이다(요 9:3).

그 사람이 태어날 때부터 눈이 멀었던 것은 본인이나 부모의 죄 때문이 아니라고 말씀하십니다. 이것은 패러다임의 전환입니다. 곧 질병에 관한 잘못된 편견을 바로잡는 교훈을 주신 것입니다.

사람들은 행복의 기준을 성경이 아닌 세상에서 찾는 경향이 있습니다. 세상 사람들은 병들고 가난하면 불행하다고 생각합니다. 과연 평생 잘 먹고 잘사는 것이 진정한 행복일까요? 사람의 불행은 잘못된 사고에서 비롯됩니다. 처음부터 기준이 잘못된 탓에, 진정한 행복을 알지 못합니다. 그 기준을 바꾸지 않으면, 정녕 행복을 알 길이 없습니다.

성경은 마음이 가난한 사람들이 복되다고 말합니다(마 5:3). 성경이 말하는 행복한 사람은 죄와 허물을 용서받은 사람이고, "악한 사람들의 꾀를 따라가지 않고 죄인들의 길에 서지 않으며 남을 업신여기는 사람들과 자리를 함께하지 않고 오직 여호와의 율법을 즐거워하고 그 율법을 밤낮으로 깊이 생각하는"(시 1:1-2) 사람입니다. 그러나 세상의 관점은 이와 같지 않습니다.

예수님은 그 사람이 태어날 때부터 눈이 먼 이유는 누구의 죄 탓이 아니라 "다만 하나님께서 하시는 일들을 그에게서 드러내시려는 것"이라고 말씀하십니다. 좀 더 정확히 표현하자면, 하나님께 영광을 돌리기 위해서라는 것입니다. 생로병사로도 하나님께 영광을 돌릴 수 있습니다.

인생을 살면서 결혼은 해도 그만, 안 해도 그만입니다. 아이를 낳아도 좋고, 안 낳아도 좋습니다. 그런 일은 그리 중요하지 않습니다. 결혼을 안 하고, 아기를 낳지 않아도 행복할 수 있습니다. 대학에 들어가고, 취직을 해야 행복한 것은 아닙니다. 그런 일로 행복이 좌지우지되지 않습니다. 인생은 고통이나 절망이 아니며 허무나 부조리나 무의미는 더더욱 아닙니다. 그런데 많은 사람이 잘못된 가치 기준으로 인생을 바라보며 살다가 미처 깨닫지도 못한 채 죽음을 맞이합니다.

그러니 우리는 속히 사람들을 찾아가 "당신의 가치 기준은 잘못되었다. 당신은 매우 고귀하고 의미 있는 존재다. 인생은 충분히 살 만한 가치가 있다"고 말해 줘야 합니다. 우리가 당하는 모든 고난은 하나님께 영광을 돌리기 위함이며, 하나님의 일을 나타내기 위함이라는 사실을 확실히 전해야 합니다.

왜냐하면 곧 밤이 닥치기 때문입니다.

> 우리는 낮 동안에 나를 보내신 분의 일을 해야 한다. 밤이 오면 그때에는 아무도 일할 수 없다(요 9:4).

이 말씀에서 우리는 두 가지 메시지를 발견합니다. 첫째, 예수님의 사명에 관한 정의입니다. 우리가 이 세상에 존재하는 이유는 무엇일까요? 우리는 아직 그 해답을 찾지 못하고 있습니다. 그러나 예수님이 오신 목적은 분명합니다. 바로 그분을 이 땅에 보내신 하나님의 일을 하는 것입니다. 예수님은 하나님의 보내심을 받고 이 세상에 오셔서 일평생 사명을 완수하셨습니다. 하나님의 일을 하는 것이야말로 예수님의 사명이며 존재 이유입니다. 이처럼 우리도 자기 사명에 관한 확실한 증거가 있고, 그로 말미암아 기쁨을 누린다면 고난 중에도 얼마든지 인내할 수 있습니다. 나는 예수님을 만남으로써 인생의 목표를 갖게 되었고, 인간적인 열등감에서 벗어날 수 있었습니다.

우리는 무덤에 들어갈 때까지 주님의 일을 이루기 위해 최선을 다해야 합니다. 예수님은 하나님의 영광과 인류의 죄 사함을 위해 십자가를 지는 일에 무섭도록 집중하셨습니다. 그러면서도 환자들을 치유하셨고, 죄인들의 친구가 되어 주셨으며 절망에 빠진 사람들에게 희망을 주셨을 뿐만 아니라 종교 지도자들의 위선을 벗겨 주셨습니다. 예수님의 생애 33년이 너무나도 짧았다는 생각이 듭니다.

사도 바울은 사는 동안 한순간도 허비하지 않았고, 산으로 강으로, 사막으로 바다로 열심히 돌아다녔습니다. 전도 여행을 하면서, 그가 걸어 다닌 거리가 약 2만 킬로미터입니다. 아마 바울은 잠잘 시간은커녕 아플 시간도 없었을 것입니다. 인생의 목표가 뚜렷하면, 방황하지 않고 시간을 허비하지도 않습니다.

두 번째 메시지는 "밤이 오면 그때는 아무도 일할 수 없다"는 것입니다. 예수님은 인간이 삶에 관해 느끼는 긴박감을 잘 알고 계십니다.

성경은 "세월을 아끼십시오. 때가 악합니다. 그러므로 지각없는 사람이 되지 말고 주의 뜻이 무엇인지 분별하십시오. 또한 술에 취하지 마십시오. 잘못하면 방탕에 빠지기 쉽습니다. 오히려 성령으로 충만하게 되십시오. 여러분은 시와 찬미와 신령한 노래들로 서로 화답하고 마음으로 주께 찬송하며 우리 주 예수 그리스도의 이름으로 모든 일에 항상 하나님 아버지께 감사하고 그리스도를 경외함으로 서로 복종하십시오"(엡 5:16-21)라고 권면합니다. 바로 이 말씀 앞에서 무너진 어거스틴(Augustine)이 '시간과 영원'에 관한 깊은 통찰을 자신의 저서 《고백록》(Confessions)에 담았다는 사실을 우리는 잘 알고 있습니다.

또 성경은 "여러분이 이 시기를 알고 있는 것처럼 벌써 잠에서 깨어야 할 때가 됐습니다. 이제 우리의 구원이 처음 믿을 때보다 가까이 왔기 때문입니다. 밤이 깊고 낮이 가까이 왔습니다. 그러므로 어두움의 일들을 벗어 버리고 빛의 갑옷을 입읍시다. 낮에 행동하듯이 단정하게 행동합시다. 방탕하거나 술 취하지 말고 음란과 호색하지 말며 다투거나 시기하지 말고 오직 주 예수 그리스도로 옷 입고 정욕을 채우려고 육신의 일을 애쓰지 마십시오"(롬 13:11-14)라고 경고합니다.

시간은 계속해서 흘러갑니다. 세상에 취해 있을 시간이 없습니다. 그러므로 모든 그리스도인은 영적 긴박성을 가지고, 술 취하지 말며 세월을 아끼고 성령 충만을 받아야 합니다. 불필요한 일로 세월을 낭비하지 마십시오. 자기 인생을 재정비하십시오.

무엇이 진정한 축복인가

예수님은 말씀으로 끝내지 않고, 말씀대로 행동하시는 분입니다. 예수님의 말씀과 행동은 세상의 빛입니다. 왜냐하면 예수님이 스스로 "내가 세상에 있는 동안 나는 세상의 빛이다"(요 9:5)라고 말씀하셨기 때문입니다.

> 이 말씀을 하신 후 예수께서 땅에 침을 뱉어서 진흙을 이겨 그 사람의 눈에 바르셨습니다. 그리고 그에게 말씀하셨습니다. "실로암 연못에 가서 씻어라."('실로암'은 '보냄을 받았다'는 뜻입니다.) 그 사람이 가서 씻고는 앞을 보게 돼 집으로 돌아갔습니다(요 9:6-7).

예수님은 땅에 침을 뱉어 진흙을 이기시더니 눈먼 사람의 눈에 친히 발라 주십니다. 세상의 빛이신 주님이 그에게 빛을 주시니 그의 눈이 밝아집니다. 실로암 연못에 가서 씻으라는 예수님의 말씀에 순종하자 즉시 눈을 뜨고 앞을 보게 된 것입니다.

예수님은 말씀이나 안수로 질병을 고쳐 주시곤 했습니다. 한번은 사람들이 "듣지 못하고 말도 못하는 사람"을 예수님께 데려오자 그를 따로 데리고 가서서 "그의 귓속에 손가락을 넣으시고 손에 침을 뱉어서 그의 혀에 손을" 대시고, 하늘을 우러러보시며 "깊은숨을 크게 한 번 쉬고는 그에게 '에바다!'라고 말씀"하셨습니다. 그러자 그의 귀가 뚫리고 혀가 풀려서 제대로 말하기 시작했습니다(막 7:32-35 참조). 예수님은 태어날 때부터 눈먼 사람도 이처럼 치유해 주셨습니다.

이웃 사람들과 그가 전에 구걸하던 것을 보아 온 사람들이 물었습니다. "이 사람은 앉아서 구걸하던 사람이 아닌가?" 몇몇 사람들은 그 사람이라고 말했고 또 어떤 사람들은 "아니다. 그냥 닮았을 뿐이다"라고 말했습니다. 그러나 그 사람이 말했습니다. "내가 바로 그 사람이오." 그들이 그 사람에게 물었습니다. "그렇다면 어떻게 눈을 뜨게 됐느냐?" 그가 대답했습니다. "예수라는 분이 진흙을 이겨 내 눈에 바르고 '실로암에 가서 씻어라'고 하셨소. 그래서 내가 가서 씻었더니 이렇게 볼 수 있게 됐소"(요 9:8-11).

얼마나 놀라운 기적입니까? 그러나 기적적으로 눈을 뜬 사람도 결국은 영원히 살지 못하고 죽음을 맞았을 것입니다. 나사로도 무덤에서 되살아났지만, 결국 죽고 말았습니다. 눈을 떴건 죽음에서 살아났건 그것은 그리 중요하지 않습니다. 눈을 떠도 언젠가는 감기 마련이고, 죽음에서 살아나도 결국은 죽는 것이 인생이기 때문입니다.

그러고 보면, 눈을 뜨고 죽음에서 살아난 것이 기적이 아니라 우리가 예수님을 믿게 된 것이 기적입니다. 인생에서 축복은 영적 눈을 뜨는 것만이 아니라 새 삶을 사는 것입니다. 곧 하나님이 인생에 개입해 주시는 것이야말로 축복입니다.

우리에게 일어나는 모든 일이 하나님의 영광을 드러내기 위한 것이기를 소망합니다. 우리 인생이 그 자체로 하나님을 증거하고, 하나님께 영광을 돌려 드리는 것이 되기를 갈망합니다. 우리의 경험과 생각과 비전이 하나님을 위해 오롯이 사용되기를 기도합니다.

2

왜 하나님의 사랑보다
안식일을 더 크게 여깁니까?

요한복음 9:13-23

세상이 놀랄 만큼 변화하라

사람들이 예수님을 거부하고, 복음을 거부하는 데는 몇 가지 이유가 있습니다. 첫째, 잘못된 지식과 편견으로 하나님의 섭리를 오해하기 때문입니다. 둘째, 율법주의가 우리 눈을 가려 예수님의 진정한 모습을 보지 못하게 하기 때문입니다. 셋째, 그릇된 편견과 선입관으로 예수님을 바라보기 때문입니다.

제자들이 날 때부터 눈먼 사람이 길거리에서 구걸하는 모습을 보고, "이 사람이 눈먼 사람으로 태어난 것이 누구의 죄 때문입니까? 이 사람의 죄 때문입니까, 부모의 죄 때문입니까?"(요 9:2)라고 묻자 예수님이 분명하게 대답해 주셨습니다. "이 사람의 죄도, 그 부모의 죄도 아니다. 다만 하나님께서 하시는 일들을 그에게서 드러내시려는 것이다"(요 9:3).

어떤 사건을 해석할 때, 믿음이 큰 힘으로 작용합니다. 우리가 고난을 당할 때 버겁고 힘든 이유는 그 고난을 해석할 수 없기 때문입니다. 비록 가난하고 병들었어도 자신의 고난을 해석할 수 있다면, 오히려 고난을 축복으로 여길 수 있습니다.

비극과 절망에 관한 예수님의 정확한 해석이 고난을 한순간에 축복과 영광으로 바꿔 놓는 계기가 됩니다. 우리는 더 이상 운명론이나 원죄론을 탓할 수 없게 되었습니다. 예수님이 우리의 허무와 좌절과 소외와 고통을 하나님의 영광을 드러내기 위한 것으로 해석해 주셨기 때문입니다.

태어날 때부터 눈이 멀었던 사람이 갑자기 눈을 뜨자 주변 사람들이 크게 놀랐습니다. 네 부류의 사람들이 각기 다른 반응을 보입니다.

첫째, 평소에 그를 잘 알던 이들의 반응입니다. 성경은 "이웃 사람들과 그가 전에 구걸하던 것을 보아 온 사람들이 … 이 사람은 앉아서 구걸하던 사람이 아닌가?"(요 9:8) 하고 물었다고 전합니다. 몇몇은 그 사람이라고 말하고, 또 몇몇은 "아니다. 그냥 닮았을 뿐이다"라고 말합니다. 그러나 그가 말합니다. "내가 바로 그 사람이오"(요 9:9).

도저히 믿을 수 없는 일이 벌어졌기에 당황한 그들은 이 사람이 눈먼 사람이냐 아니냐로 논쟁을 벌입니다. 여기서 한 가지 영적 교훈을 발견합니다. '참된 신앙은 주변 사람들을 당황하게 만든다'는 사실입니다. 만약에 예수님을 믿는 사람이 주변 사람들을 한 번도 당황하게 만든 적이 없다면, 어쩌면 그의 믿음은 가짜일지도 모릅니다. 예수님을 믿고 난 뒤에도 삶이 변화하지 않았다는 뜻이기 때문입니다.

진정한 믿음은 삶에 큰 변화를 가져옵니다. 눈먼 사람이 눈을 뜨듯이, 미워하던 사람을 용서하거나 도저히 포기할 수 없는 것을 기꺼이 버리는 등 180도로 달라지는 놀라운 변화를 보입니다. 그래서 부모나 자녀나 주변 사람들이 그들의 변화된 삶을 보고 놀라고 당황하는 것입니다.

나는 대학 시절에 예수님을 만났습니다. 장로요 권사이신 부모님이 크게 놀라셨습니다. 아버지는 내게 "예수님을 그렇게 믿는 게 아니란다. 적당히 믿어라"라고 충고해 주셨습니다. 내가 제정신이 아닌 줄로 아시고, 주변 사람들에게 나를 좀 말려 달라고 부탁하신 적도 있습니다.

이처럼 예수님을 믿으면 사람이 달라집니다. 옛 사람이 변하여 새사람이 되고, 죄인이 변하여 의인이 되며, 어둠의 자녀가 변하여 빛의 자녀가 되는 축복이 일어납니다. 급기야 자신뿐 아니라 주변 사람들까지도 변화시킵니다. 그 변화를 자신이 느끼고, 주변 사람들이 알아채고, 하나님이 인정하십니다. 이런 변화가 날 때부터 눈먼 사람에게도 일어났던 것입니다.

진리는 복잡하지 않고 단순하다
둘째, 바리새파 사람들의 반응입니다.

그들은 전에 눈먼 사람이던 그를 바리새파 사람들에게 데리고 갔습니다. 예수께서 진흙을 이겨 그 사람의 눈을 뜨게 하신 날은 안식

일이었습니다. 그래서 바리새파 사람들도 그가 어떻게 보게 됐는지 물었습니다. 그러자 그 사람이 대답했습니다. "예수께서 내 눈에 진흙을 바르셨는데 내가 씻고 나니 볼 수 있게 됐습니다"(요 9:13-15).

태어날 때부터 눈먼 사람이 눈을 뜨자 사람들이 그를 데리고 바리새파 사람들을 찾아갑니다. 아마 두 가지 이유가 있을 것입니다. 하나는 당시에 바리새파 사람들이 종교 지도자요 백성의 멘토였으므로 이 엄청난 사건에 관한 그들의 해석을 듣고 싶었을 것이고, 또 하나는 예수님이 눈먼 사람의 눈을 뜨게 하신 날이 안식일이었으므로 안식일 엄수에 관한 문제를 물어보고 싶었을 것입니다.

바리새파 사람들은 눈먼 사람이 눈을 뜬 기적에 관한 해석과 안식일 율법에 관한 문제로 고민합니다. 평소에 자신들이 이단으로 몰아붙였던 예수님이 기적을 일으키시자 그들은 적잖이 당황했습니다.

그들은 눈을 뜨게 된 사람에게 일의 자초지종을 묻습니다. 그의 대답은 거침없습니다. "예수께서 내 눈에 진흙을 바르셨는데 내가 씻고 나니 볼 수 있게 됐습니다." 눈멀었다가 앞을 보게 된 사람은 그들 앞에서 사실을 있는 그대로 간략하고도 분명하게 증언합니다. 이렇듯 복음은 복잡하지 않고 단순합니다.

몇몇 바리새파 사람들이 "이 사람이 안식일을 지키지 않은 것을 보니 하나님께로부터 온 것이 아니오"라고 말하자, 다른 사람들이 "죄인이라면 어떻게 이런 표적을 보이겠소?" 하고 말했습니다. 이렇게 그들은 의견이 갈라졌습니다(요 9:16).

그의 증언을 들은 바리새파 사람들의 의견이 엇갈립니다. 한쪽에서는 예수님이 안식일을 지키지 않는 것을 보니 하나님께로부터 온 사람이 아니라고 말하고, 다른 한쪽에서는 죄인이라면 어떻게 이런 표적을 보이겠느냐고 반문합니다.

그들의 말을 자세히 들여다보면, 이쪽이건 저쪽이건 그들에게는 눈멀었던 사람을 불쌍히 여기는 마음이 전혀 없음을 알 수 있습니다. 그들의 관심은 오로지 '예수님이 안식일을 지키셨느냐 안 지키셨느냐'에만 있습니다. 이것이 바로 종교의 잘못된 관심입니다.

교회가 진정으로 관심을 두어야 할 일은 교회법을 잘 지키느냐가 아니라 사람을 귀히 여기고 실족하지 않도록 격려하는 일입니다. 하나님의 관심은 교회의 건물이나 제도에 있지 않고 사람에게 있습니다. 세상은 사람을 수단으로 여기곤 합니다. 당시 바리새파 사람들의 시선도 마찬가지였습니다. 그들은 사람을 귀하게 여기지 않고, 종교적 전통이나 가치를 더 중요하게 여겼습니다.

셋째, 태어날 때부터 눈먼 사람이 눈을 뜨고 나서 보인 반응입니다. 그의 반응에는 세 가지 특징이 있습니다. 우선, 그의 말에는 수

식어가 없습니다. 그리고 그의 대답에는 일관성이 있습니다. 누가 물어도 "나는 눈먼 사람이었는데, 예수님이 내 눈에 진흙을 바르시고 실로암에 가서 씻으라고 하셔서 말씀대로 했더니 볼 수 있게 되었다"고 답합니다. 마지막으로 그의 말에는 두려움이 없습니다. 그는 사람을 두려워하지 않았습니다. 바리새파 사람이든 제사장이든 누구 앞에서나 담담하게 말합니다. 사람을 두려워하면, 사탄의 올무에 걸리기 쉽습니다. 눈멀었던 사람처럼 우리도 사람을 두려워할 게 아니라 하나님을 두려워해야 합니다.

그는 사람들이 혼란에 빠져 옥신각신하며 우왕좌왕하자 "내가 바로 그 사람이오" 하고 분명히 밝힙니다.

> 그들은 눈멀었던 사람에게 다시 물었습니다. "예수에 대해 네가 할 말이 있느냐? 그가 네 눈을 뜨게 하지 않았느냐?" 그 사람이 대답했습니다. "그분은 예언자이십니다"(요 9:17).

눈멀었던 사람이 예수님에 관해 아는 것이라곤 "예언자"이시라는 사실밖에 없었습니다. 그가 확실히 아는 사실은 날 때부터 보지 못하는 시각장애인이었던 자신이 예수님을 만나고 나서 눈을 떴다는 것입니다. 그는 자신의 눈을 고쳐 주신 분이 예수님이라는 사실만은 분명히 알았습니다. 우리도 예수님의 은혜로 구원받은 사실을 간단하면서도 진실하게 고백할 수 있어야 합니다.

성경은 "그러므로 이제 그리스도 예수 안에 있는 사람들은 정죄를 받지 않습니다. 이는 그리스도 예수 안에 있는 생명의 성령의 법이 죄와 죽음의 법에서 여러분을 해방했기 때문입니다"(롬 8:1-2)라고 말합니다. 지식은 확신을, 이성은 믿음을 필요로 합니다. 확신이 없는 지식이나 믿음이 없는 이성은 우리로 하여금 방황하게 만들 뿐입니다. 우리는 믿음으로 "나는 구원받았다"라고 확실하게 고백할 수 있어야 합니다.

바울은 우리가 태어날 때부터 진노의 자녀들이었으며 육체와 마음이 원하는 것들을 행하며 육체의 욕망대로 살았던 존재라고 말합니다. 그러나 자비가 풍성하신 하나님의 크신 사랑이 자기 허물로 죽은 우리를 그리스도와 함께 살리셨습니다. 은혜로 구원받은 것입니다. 우리를 그리스도 예수 안에서 일으키시고, 주와 함께 하늘에 앉게 하십니다. 그리스도 예수 안에서 베푸시는 하나님의 은혜가 얼마나 풍성한지를 미래 세대에게 보여 주기 위해서 말입니다(엡 2:3-7 참조).

사람을 두려워하지 않아야 마음껏 기뻐할 수 있다

넷째, 태어날 때부터 눈멀었던 사람의 부모가 보인 반응입니다.

유대 사람들은 아직도 그가 눈먼 사람이었다가 보게 된 것을 믿지 못해 그의 부모를 불러다가 물었습니다. "이 사람이 당신의 아들이오? 태어날 때부터 눈먼 사람이었다는 아들이 맞소? 그런데 지금은 어떻게 볼 수 있게 됐소?"(요 9:18-19).

그들은 진실 따위에는 관심이 없습니다. 확실한 증거가 있어도 예수님을 믿지 않을 만큼 그들은 편견에 가득 차 있으며 오만하고 독선적입니다. 그런 사람들은 옳은 얘기를 들어도 알아듣지 못합니다. 바리새파 사람들은 눈멀었던 사람을 비이성적인 사람으로 취급하며 그의 말을 믿지 않았습니다. 그의 증언을 무가치하게 여긴 것입니다.

그래서 눈멀었던 사람의 말을 믿을 수 없다면서 그의 부모를 불러오게 합니다. 진실을 알기 위해서가 아니라 자신들의 생각을 다른 이에게 강요하려고 부른 것입니다.

부모가 대답했습니다. "그가 우리 아들이고 날 때부터 눈먼 사람이었다는 것을 우리가 알지만 그가 지금 어떻게 볼 수 있게 됐는지, 누가 그 눈을 뜨게 해 주었는지는 모릅니다. 그에게 물어보십시오. 그 아이가 다 컸으니 스스로 말할 수 있을 것입니다." 그 부모가 이렇게 말한 것은 유대 사람들이 두려웠기 때문입니다. 유대 사람들은 이미 예수를 그리스도라 인정하는 사람은 누구라도 회당에서 내쫓기로 결정했던 것입니다. 그래서 그 부모가 말하기를 "그 아

이가 다 컸으니 그에게 직접 물어보십시오"라고 말했던 것입니다
(요 9:20-23).

겁에 질린 부모는 예수님에 관해 말하기를 꺼리며 돌려 말합니다. 부모의 말에서 두 가지 마음을 엿볼 수 있습니다. 눈먼 아들이 눈을 뜨게 되어 매우 기쁜 마음과 진실을 입에 담지 못할 만큼 바리새파 사람들과 종교 지도자들을 두려워하는 마음이 뒤섞여 있습니다. 마음 놓고 기뻐할 수 없는 부모의 심정이 어땠겠습니까? 종교라는 이름의 권력이 사람의 기쁨마저도 꼼짝 못하게 가둬 버린 것입니다.

도쿄 신주쿠 요도바시 교회(淀橋教會)의 미네노 타츠히로(峯野龍弘) 목사는 일본 교계를 대표하는 목회자입니다. 그의 간증문을 읽고 크게 감동한 적이 있습니다. 그는 사생아로 태어나서 젊은 시절에 크게 좌절하고 방황하며 살았습니다. 하지만 그 일로 말미암아 예수님을 만날 수 있었고, 지금은 일본에서 가장 존경받는 목회자로 성장했습니다. 미네노 목사는 자신이 부모의 사랑을 모르는 사생아로 태어난 것조차도 하나님의 영광을 드러내기 위한 사건이었음을 간증합니다.

예수님은 날 때부터 눈먼 사람에게 인생의 의미를 해석해 주셨을 뿐만 아니라, 눈을 뜨는 복을 함께 주셨습니다. 이처럼 우리는 주님이 주시는 구원뿐 아니라 건강의 복도 받을 수 있어야 합니다.

태어날 때부터 눈먼 사람이 눈을 뜨는 것과 같은 기적이 우리 삶에도 일어납니다. 예수님을 알고, 예수님을 믿은 것이 바로 기적입니다. 그 감동을 잃지 않고 살아가길 바랍니다. 또 그 기쁨을 온 세상에 나눠 주기를 축원합니다.

3

이제 내가
믿습니다

요한복음 9:24-41

차근차근 알아 가면, 차곡차곡 믿음이 쌓인다

태어날 때부터 눈멀었던 사람은 예수님을 만나 두 가지 큰 복을 받았습니다. 첫째, 자신이 선천적 시각장애인이 된 이유가 자신이나 부모의 죄 때문이 아니라 하나님의 일을 드러내기 위함이라는 사실을 아는 복을 받았습니다. 그 덕분에 그의 삶은 더 이상 비극이 아니게 되었습니다. 누군가의 죄 때문에 눈먼 채로 태어났을지도 모른다는 강박 관념에서 해방되었기 때문입니다.

둘째, 실제로 시력을 회복해 세상을 볼 수 있게 되었습니다. 예수님이 침을 뱉어 진흙을 이겨서 그의 눈에 바르시고, 실로암에 가서 씻으라고 명하시자 그가 그대로 행하여 눈을 뜬 것입니다.

태어날 때부터 눈먼 사람이 눈을 뜬 것은 확실히 기적입니다. 예수님은 일시적으로 못 보게 된 사람의 눈을 다시 뜨게 하신 것이 아니라 나면서부터 눈이 멀어 개안의 가능성이 전혀 없던 사람의 눈을 뜨게 하신 것이기 때문입니다. 예수님이 행하신 일은 정신 집중이나 최면술로 얻은 일시적인 현상이 아니라 신체가 근본적으로 변화한 확실한 기적입니다. 홍해를 가르시고, 여리고 성을 무너뜨리셨던 것과 같은 기적 말입니다.

예수님이 성령으로 동정녀 마리아에게서 태어나신 것이 기적이고, 물 위를 걸으시고, 죽은 나사로를 살리신 것도 기적이듯이, 믿는 자들에게 베푸신 구원은 확실한 기적입니다. 우리는 이 사실을 의심치 말고 믿어야 합니다.

눈멀었던 사람이 눈을 뜬 과정을 자세히 살펴보면, 재미있는 사실을 발견할 수 있습니다. 그는 육신의 눈뿐 아니라 영적인 눈도 뜨게 되었습니다. 즉 예수님을 영적으로 올바르게 이해하게 되었다는 뜻입니다.

그는 예수님을 온전히 이해하기까지 네 단계를 거칩니다. 첫 번째 단계에서 그는 처음 만난 예수님을 한 인간으로 이해합니다.

> 그가 대답했습니다. "예수라는 분이 진흙을 이겨 내 눈에 바르고 '실로암에 가서 씻어라'고 하셨소. 그래서 내가 가서 씻었더니 이렇게 볼 수 있게 됐소"(요 9:11).

그는 "예수라는 분"이 자기에게 말했다고 대답합니다. 예수님이 하나님의 아들이요 인류의 구원자이시라는 사실을 전혀 모르고 있습니다. 그냥 마음씨 좋고 긍휼이 많은 어떤 사람이 자신을 도와주었다고 이해한 것입니다.

두 번째 단계로 넘어가면, 그는 예수님을 초자연적인 기적을 베푸시는 치유자로 이해합니다.

그래서 바리새파 사람들도 그가 어떻게 보게 됐는지 물었습니다. 그러자 그 사람이 대답했습니다. "예수께서 내 눈에 진흙을 바르셨는데 내가 씻고 나니 볼 수 있게 됐습니다"(요 9:15).

그는 예수님 덕분에 눈을 떴다는 사실에 초점을 맞추어 말합니다. 예수님에 관한 인식이 회생 불능의 눈을 뜨게 하는 기적을 베푸시는 치유자로 발전한 것입니다.

세 번째 단계에 이르면, 그는 예수님을 예언자로 이해합니다.

그들은 눈멀었던 사람에게 다시 물었습니다. "예수에 대해 네가 할 말이 있느냐? 그가 네 눈을 뜨게 하지 않았느냐?" 그 사람이 대답했습니다. "그분은 예언자이십니다"(요 9:17).

사마리아의 수가 마을에 사는 여인도 마찬가지였습니다. 예수님이 그녀에게 가서 자기 남편을 데려오라고 말씀하시자 그녀는 남편이 없다고 대답합니다. 예수님이 "실은 전에 네게 남편이 다섯이나 있었고 지금 함께 사는 남자도 네 남편이 아니니 네가 지금 한 말이 맞구나"라고 말씀하시자 그녀는 "선생님, 제가 보니 당신은 예언자이십니다"라고 고백합니다. 예수님을 바라보는 여인의 관점이 "유대 사람"에서 "예언자'로 발전한 것입니다(요 4:9-19 참조).

마지막 네 번째 단계에서, 그는 비로소 예수님을 하나님의 아들로 이해합니다. 그는 예수님을 예언자로 인식한 채로 바리새파 사람들과 언쟁을 벌이다가 그의 눈을 뜨게 하신 그분은 한낱 인간이나 선지자가 아닌 하늘에서 내려오신 하나님의 아들임이 틀림없다고 생각하는 데까지 나아갑니다(요 9:32-33 참조).

이는 예수님이 "이제 참되게 예배하는 사람들이 영과 진리로 아버지께 예배드릴 때가 오는데 지금이 바로 그때다"(요 4:23)라고 말씀하시자 수가 마을의 여인이 메시아를 떠올리는 데에 이른 것과 비슷한 상황입니다. 주님과의 대화를 통해 예수님에 관한 그녀의 생각이 점진적으로 변화해 간 것과 유사하다는 뜻입니다.

핍박과 논쟁을 통해 예수님을 알아가다

바리새파 사람들은 눈멀었던 사람의 말을 믿지 못하고, 그의 부모를 불러오게 했습니다. 그러나 부모와도 말이 통하지 않자 눈멀었던 사람을 다시 불러옵니다.

그들이 전에 눈멀었던 그 사람을 두 번째로 불러서 말했습니다. "하나님께 영광을 돌려라. 우리가 알기로 그 사람은 죄인이다." 그가 대답했습니다. "나는 그분이 죄인인지 아닌지는 모릅니다. 다만 한 가지 아는 것은 내가 전에 눈이 멀었다가 지금은 본다는 것입니다"(요 9:24-25).

그들은 눈멀었던 사람을 회유하며 두 눈을 뜨게 된 영광은 죄인인 예수가 아닌 하나님께 돌려야 한다고 강요합니다.

우리는 그의 대답에서 재미있는 사실을 발견합니다. 눈멀었던 사람이 그새 변화되었다는 사실입니다. 누가 뭐라고 하면 겁을 집어먹고 말을 바꾸던 옛날의 비겁한 그가 아닙니다. 이제는 사람을 두려워하지 않고, 누구의 눈치도 보지 않습니다. 예전의 모습을 완전히 벗어 버린 것입니다.

> 그러자 그들이 그에게 물었습니다. "그가 네게 어떻게 했느냐? 그가 어떻게 네 눈을 뜨게 해 주었느냐?" 그가 대답했습니다. "내가 이미 말씀드렸는데도 당신들은 곧이듣지 않았습니다. 왜 똑같은 말을 자꾸 들으려고 합니까? 당신들도 그분의 제자가 되고 싶습니까?"(요 9:26-27).

눈으로 세상을 보게 된 그는 소신껏 자기주장을 펼칩니다. "당신들 말대로 예수님이 죄인인지 아닌지는 난 모르오. 다만 내가 확실히 아는 것은 그분이 내 눈을 밝혀 주셨다는 것이오"라고 말합니다. 그리고 한 걸음 더 나아가 "내 말을 곧이듣지 않고 계속 묻는 것을 보니, 당신들도 그분의 제자가 되고 싶어서 그러는 것 아니오?"라고 힐문하듯 반문합니다.

당시 유대 사회에서 바리새파 사람들과 눈먼 걸인의 신분 차이는 하늘과 땅만큼 컸습니다. 눈멀었던 사람이 바리새파 사람들에게 이런 식으로 말한다는 것은 감히 생각조차 할 수 없는 일이었습니다.

그러나 사람이 구원을 받으면, 용기가 생깁니다. 세상 권세에 맞닥뜨려도 두려워하지 않습니다. 태어나면서부터 눈멀었던 사람이 눈을 뜨자 이렇게 변화된 것입니다.

> 그러자 그들이 그에게 욕을 하며 말했습니다. "너는 그 사람의 제자이지만 우리는 모세의 제자들이다. 우리는 하나님께서 모세에게 말씀하셨다는 것을 안다. 그러나 그 사람은 어디서 왔는지 알지 못한다"(요 9:28-29).

그의 말을 들은 바리새파 사람들이 그에게 욕을 하며 펄펄 뜁니다. 자존심이 상한 것입니다. 그들은 "너는 예수의 제자인지 모르지만, 우리는 모세의 제자다. 하나님이 모세에게 말씀하신 것은 모두가 알지만, 예수에게도 말씀하셨는지는 대체 누가 아느냐?"라며 그를 몰아붙입니다.

여기서 주목해야 할 것은 상황의 역전입니다. 즉 바리새파 사람들이 눈멀었던 사람을 일방적으로 꾸짖고 협박하던 분위기에서 양측이 서로 대등하게 토론을 벌이는 분위기로 바뀐 것입니다. 바리새파 사람들은 그와 언쟁을 벌이다가 흥분한 나머지 욕설을 내뱉기까지 합니다. 그런데도 눈멀었던 사람은 그들의 궤변과 강요에 휘말리지 않습니다.

> 그가 대답했습니다. "참 이상한 일입니다. 당신들은 그분이 어디서 오셨는지 모른다지만 그분은 내 눈을 뜨게 해 주셨습니다. 우리가 알다시피 하나님께서는 죄인들의 말은 듣지 않으시지만 하나님을 공경하고 그 뜻을 행하는 사람의 말은 들어주십니다. 창세 이후 누구라도 날 때부터 눈먼 사람의 눈을 뜨게 했다는 말은 들어 본 적이 없습니다. 만약 이분이 하나님께로부터 오신 이가 아니라면 아무 일도 하지 못하셨을 것입니다"(요 9:30-33).

그는 바리새파 사람들에게 죄인이 어떻게 눈먼 사람을 고쳐 줄 수 있느냐며 반문합니다. 창세 이후로 누가 태어날 때부터 눈멀었던 자의 눈을 뜨게 해 주었다는 소리는 들어 본 적이 없으니, 자기 눈을 뜨게 한 그분은 하나님이 보내신 이가 분명하다고 주장하기에 이릅니다. 바리새파 사람들은 설득력 있는 그의 증언에 그만 할 말을 잃고 맙니다. 확신에 찬 그의 고백에 바리새파 사람들의 궤변은 처참히 무너졌습니다.

눈멀었던 사람이 눈을 뜨고 난 뒤에 예수님을 알아 가는 과정에서 볼 수 있듯이 믿음은 어느 날 갑자기 생기지 않습니다. 예수님이 환상 가운데 나타나셔도 쉽게 믿지 못하는 것이 사람입니다. 예수님이 하나님의 아들이요 메시아이시라는 사실이 벼락에 맞은 듯 한순간에 깨달아지는 일은 결코 없습니다. 일련의 과정을 거쳐 점차 깨달아 가기 마련입니다.

태어나면서부터 눈멀었던 사람은 처음에 예수님을 한 인간으로 이해했고, 눈을 뜨고 나서는 기적을 베푸시는 치유자로 이해했습니다. 그리고 잠시 예언자로 이해했다가 마지막에는 하나님이 보내신 분이 틀림없다는 결론에 다다릅니다. 처음 생각과는 전혀 다른 이해에 도달한 것입니다. 그의 인식이 점진적으로 확장된 것을 알 수 있습니다. 하나님께로부터 오신 이가 아니라면 그런 기적을 베풀 수 없기 때문입니다.

그는 바리새파 사람들과의 논쟁을 통해 예수님에 관한 인식을 확장해 갔습니다. 이처럼 우리는 핍박을 통해 예수님을 더욱 분명히 알아 갈 수 있습니다. 그리고 논쟁을 통해 예수님에 관한 자기 생각을 정리할 수 있습니다.

지금은 예수님이 인류의 구원자이시라는 사실이 믿기지 않더라도 하나님 말씀에 계속 귀를 기울여 보십시오. 그러면 일주일 뒤에 혹은 한 달 뒤에 아니면 일 년 뒤에라도 인식의 변화를 경험할 것입니다.

예수님의 사랑 앞에 엎드리다

눈멀었던 사람은 예수님에 관한 깨달음에 종지부를 찍는 사건을 만납니다. 그가 바리새파 사람들에게 모욕을 당하고 쫓겨났다는 소문을 들으신 예수님이 그를 찾아와 만나 주신 것입니다.

예수께서는 바리새파 사람들이 그 사람을 쫓아냈다는 말을 듣고 그를 찾아가 말씀하셨습니다. "네가 인자를 믿느냐?" 그 사람이 물었습니다. "선생님, 그분이 누구신지 말씀해 주십시오. 제가 그분을 믿겠습니다." 예수께서 말씀하셨습니다. "네가 이미 그를 보았다. 너와 말하고 있는 사람이 바로 그다." 그러자 그 사람이 말했습니다. "주여, 제가 믿습니다." 그러고는 예수께 절했습니다(요 9:35-38).

이는 매우 중요한 사건입니다. 우리가 예수님을 이해하는 데는 크게 두 가지 방식이 있습니다. 즉 머리로 믿는 것과 예수님을 직접 만나 믿음으로 확인하는 것입니다. 머리로 믿는다는 것은 "나는 예수님이 하나님의 아들일 것으로 생각한다"는 식의 사고를 가리킵니다.

예수님을 만남으로써 믿음으로 확인하고 이해하는 모습은 눈멀었던 사람에게서 찾아볼 수 있습니다. 생각하고 이해하는 것과 만나서 확인하는 것은 천양지차입니다. 만약 예수님이 그를 찾아와 만나 주시지 않았다면, 그는 평생 '내 눈을 뜨게 하신 예수님은 어쩌면 절대자이실지도 몰라' 하고 막연하게 생각했을 것입니다.

그런데 예수님을 다시 만났습니다. 눈멀었던 사람이 예수님을 찾아간 게 아닙니다. 예수님이 그를 찾아오셨습니다. 여기에 말씀의 핵심이 있습니다. 예수님은 우리를 만나기 위해 친히 찾아오시는 분입니다. 그분의 뜻을 거절하지만 않는다면, 그분을 만날 수 있습니다. 우리를 만나려고 이 땅에 오신 분이기 때문입니다.

예수님은 그를 만나자마자 "네가 인자를 믿느냐?" 하고 물으십니다. 이것은 그가 바리새파 사람들과 논쟁을 벌이는 동안에 계속해서 고민하던 주제입니다. 그가 공손하게 대답합니다. "선생님, 그분이 누구신지 말씀해 주십시오. 제가 그분을 믿겠습니다." 급기야 그가 구도자의 모습을 보이자 예수님이 그에게 "너와 말하고 있는 사람이 바로 그다"라고 분명하게 밝히십니다.

주님은 사마리아 수가 마을의 여인에게도 그러셨습니다. 여인이 "저도 그리스도라고 하는 메시아가 오실 것을 압니다. 메시아가 오시면 우리에게 모든 것을 알려 주실 것입니다"(요 4:25)라고 말하자 예수님이 그녀에게 "지금 네게 말하고 있는 내가 바로 그 메시아다"(요 4:26)라고 분명하게 밝히시지 않았습니까?

간음한 현장에서 붙잡혀 온 여인을 구원하실 때는 어땠습니까? 여인에게 "이제부터 다시는 죄를 짓지 마라"고 말씀하셨습니다. 그 말씀을 들은 여인은 예수님의 사랑에 뜨거운 눈물을 흘렸을 것입니다(요 8:1-11 참조).

눈멀었던 사람의 눈에서 뜨거운 눈물이 흘러내립니다. 아마도 벅찬 감동으로 가슴이 방망이질했을 겁니다. 눈을 떴다는 기쁨은 어느새 잊어버리고, '정말로 이분이 메시아이시구나. 하나님의 아들이시구나' 하는 생각에 사로잡혀 울컥했을 겁니다. 그는 감격에 겨워 "주여, 제가 믿습니다"라고 고백하며 주님 앞에 무릎을 꿇습니다.

우리가 최종적으로 도달하게 되는 예수님에 관한 이해는 그분이 "하나님의 아들"이시라는 사실입니다. 태어나면서부터 눈먼 자의 눈을 뜨게 하는 기적은 하나님만이 베푸실 수 있습니다. 죄인은 기적을 베풀 수 없고, 거룩하신 분을 이해할 수 없으며 죄인을 구원할 수도 없습니다. 눈멀었던 사람은 자신의 눈을 뜨게 하신 이가 하나님의 아들이심을 깨달았습니다.

우리는 예수님을 믿는 과정에서 여러 가지 일로 갈등하거나 때에 따라서 미숙한 생각에 빠지기도 합니다. 그러다가 마지막에 부딪히는 문제는 "과연 예수님은 하나님의 아들이신가? 인류의 구원자이신가?" 하는 질문입니다. 이 질문의 답을 얻는 사람은 끝내 뜨거운 눈물을 흘리고 말 것입니다. 그리고 "실로 주님은 하나님의 아들이시요 메시아이시며 구원자이십니다. 두 손 높이 들고 주님을 경배합니다!"라고 고백하며 절할 것입니다.

예수님은 비로소 영적인 눈을 뜨게 된 그에게 놀라운 말씀을 해 주십니다.

예수께서 말씀하셨습니다. "나는 이 세상을 심판하러 왔다. 못 보는 사람은 보게 하고 보는 사람은 못 보게 하려는 것이다"(요 9:39).

여기서 "못 보는 사람"이란 태어날 때부터 눈멀었던 사람을, "보는 사람"이란 바리새파 사람들과 유대교 지도자들을 가리킵니다. 앞을 보지 못하는 사람은 보는 것이 소망입니다. 눈멀었던 사람은 예수님을 만나서 소망을 이루었습니다. 게다가 자신의 눈을 뜨게 하신 분이 누구인지를 알았으니 그야말로 복 중의 복을 받은 것입니다.

이 말씀을 듣고 예수와 함께 있던 몇몇 바리새파 사람들이 물었습니다. "우리도 눈이 먼 사람이란 말이오?" 예수께서 말씀하셨습니다. "너희가 눈이 먼 사람이었다면 죄가 없었을 것이다. 그러나 너희가 지금 본다고 하니 너희의 죄가 그대로 남아 있다"(요 9:40-41).

그 자리에서 예수님의 말씀을 들은 바리새파 사람들이 그 말씀을 제대로 이해했을 리가 없습니다. 그들은 "그러면 우리도 눈이 멀었단 말이오?" 하고 힐난하듯 예수님에게 반문합니다. 영적으로 눈이 멀어 있는 자신을 끝까지 깨닫지 못한 것입니다.

소망과 복은 누구에게나 필요합니다. 그냥 교회에 왔다 갔다 한다면, 소망과 복을 얻을 수 없습니다. 반드시 예수님을 만나야 합니다. 감사하게도 예수님은 언제나 우리를 만나길 원하십니다. 주님은 우리에게 인생의 의미와 목적을 알려 주시고, 삶의 모든 절망과 허무를 깨끗이 씻어 주기를 원하십니다.

우리는 예수님에 관해 깊이 생각해 봐야 합니다. 그분이 하나님의 아들이요 인류의 구원자이심을 아는 데까지 이르러야 합니다. 예수 그리스도께서는 온 인류에게 소망과 복을 주시는 분입니다. 부디 주님을 만나 뜨거운 눈물을 흘리는 체험을 하게 되길 기도합니다.

눈멀었던 사람의 눈에서 뜨거운 눈물이 흘러내립니다. 아마도 벅찬 감동으로 가슴이 방망이질했을 겁니다. 눈을 떴다는 기쁨은 어느새 잊어버리고, '정말로 이분이 메시아이시구나. 하나님의 아들이시구나' 하는 생각에 사로잡혀 울컥했을 겁니다. 그는 감격에 겨워 "주여, 제가 믿습니다"라고 고백하며 주님 앞에 무릎을 꿇습니다.

2부

그 사랑, 나를 지켜 주시네

요한복음 10:1-42

참 목자는 아버지가 자녀를 돌보듯 양들을 양육하고 돌봅니다.
그는 잃어버린 양을 끝까지 포기하지 않으며 결국 찾아내 구해 옵니다.
온 마음을 바쳐 양들을 우리로 인도합니다.
자기 양들을 사랑하기 때문입니다.
심지어 양들을 위해 자기 목숨을 기꺼이 바치기까지 합니다.

4

내 이름을
부르십니다

요한복음 10:1-6

하나님의 이름으로 예수님을 가로막는 눈먼 리더십

예수님이 태어날 때부터 눈먼 사람을 고쳐 주시고, "나는 이 세상을 심판하러 왔다. 못 보는 사람은 보게 하고 보는 사람은 못 보게 하려는 것이다"(요 9:39)라고 말씀하시자 바리새파 사람들은 펄쩍 뛰며 "우리도 눈이 먼 사람이란 말이오?"라고 물으며 격렬하게 반발합니다.

이때 예수님이 아주 의미 있는 말씀을 하십니다.

> 너희가 눈이 먼 사람이었다면 죄가 없었을 것이다. 그러나 너희가 지금 본다고 하니 너희의 죄가 그대로 남아 있다(요 9:41).

태어날 때부터 눈멀었던 사람처럼 그들도 눈먼 자들이었다면 마음이 가난했을 테고, 메시아를 만나 눈을 뜨게 되는 기적을 맛보고 구원도 얻었을 것입니다. 그러나 그들 스스로 본다고 여기니 은혜도 구원도 얻을 길이 없습니다.

당시 바리새파 사람들의 특징을 두 가지로 요약할 수 있습니다. 첫째, 그들은 인간적으로 오만했습니다. 그들은 자신을 거룩하게 구별된 자로 여겼으므로 자신들이 누구보다도 하나님을 잘 안다고 생각했습니다. 그러나 오만함은 언제나 인생에 위기를 몰고 오는 법입니다. 막강한 영향력을 자랑하는 그들의 자부심은 자기 최면에 불과했습니다. 오만은 패망의 선봉일 뿐입니다.

둘째, 그들은 종교적인 우월감에 젖어 있었습니다. 바리새파 사람들은 인간적인 오만함에 종교적 우월감까지 더해져 매우 독선적이었습니다. 예수님은 그들의 그릇된 사고와 리더십의 왜곡을 책망하셨습니다.

지금까지 목회하면서 많은 사람을 만나 봤지만, 예수님이 싫다고 말하는 사람은 한 명도 없었습니다. 어떤 종교를 가졌든지 간에 예수님을 싫어한다거나 예수님이 잘못했다고 말하는 사람은 아무도 없었습니다.

다만 예수님을 믿는 사람들과 교회가 싫을 뿐이라고 말합니다. 그러므로 교회와 그리스도인은 종교적 우월감에서 벗어나야 합니다. 그래야 세상 사람들에게 예수님을 만날 기회를 제공할 수 있습니다.

교회의 왜곡된 리더십 때문에 세상 사람들이 하나님을 만나지 못합니다. 교회든 세상이든 리더십이 바로 서지 않으면, 풍전등화와도 같은 상황에 놓일 수밖에 없습니다.

그래서 "참 지도자란 누구인가? 참된 리더십이란 무엇인가?"라는 질문이 중요합니다. 우리는 예수님과 바리새파 사람들의 대화에서 그 답을 찾을 수 있습니다.

한결같은 사랑으로 품으시는 선한 리더십

예수님은 하나님 나라의 리더십에 관해 말씀해 주십니다. 그리스도인이 배워야 할 하나님 나라의 리더십은 한마디로 '선한 목자'입니다. 성경은 목자에 관해 많은 말씀을 기록하고 있습니다. 대표적인 말씀은 시편에서 찾아볼 수 있습니다.

> 여호와는 내 목자이시니 내게 부족한 것이 없습니다. 그분이 나를 푸른 목장에 눕히시고 잔잔한 물가로 인도하십니다. 내 영혼을 회복시키시고 당신의 이름을 위해 의로운 길로 인도하십니다. 내가 죽음의 그림자가 드리운 골짜기를 지날 때라도 악한 것을 두려워하지 않는 이유는 주께서 나와 함께 계시기 때문입니다. 주의 지팡이와 막대기가 나를 지키시고 보호하십니다. 주께서 내 적들 앞에서 내게 상을 베푸시고 내 머리에 기름을 부으셨으니 내 잔이 넘칩니다. 내 평생에 선하심과 한결같은 사랑이 진실로 나와 함께하실 테니 내가 여호와의 집에서 영원히 살 것입니다(시 23:1-6).

하나님은 우리 목자이시고, 우리는 그분이 기르시는 양들입니다. 목자와 양들의 관계가 하나님 나라의 리더십을 보여 줍니다. 다른 시편에서도 이 같은 관계를 볼 수 있습니다.

> 온 땅이여, 여호와께 기뻐 외치라. 기쁨으로 여호와를 섬기고 노래

하며 그분 앞으로 나아가라. 여호와가 하나님이신 줄 알라. 그분이 우리를 만드셨으니 우리는 그분의 백성들이고 그 목장의 양들이다. 감사하면서 그 문으로 들어가고 찬양하면서 그 뜰로 들어가라. 그분께 감사하고 그 이름을 찬양하라. 여호와는 선하시니 그 인자하심이 영원하고 주의 진리가 온 세대에 걸쳐 지속될 것이다(시 100:1-5).

하나님은 양 떼와도 같은 우리에게 예수 그리스도를 보내 주셨습니다. 그래서 예수님은 "세상 죄를 지고 가시는 하나님의 어린 양"으로 묘사됩니다. 성경은 예수님이 "목자처럼 자신의 양 떼를 돌보시고 자신의 어린양들을 양팔로 끌어안아 가슴에 품으시고 젖먹이 딸린 양들을 고이고이 이끄신다"(사 40:11)고 선언합니다. 선지자 스가랴의 예언을 들어 보십시오.

만군의 여호와께서 하신 말씀이다. "칼아, 깨어 일어나 내 목자를 쳐라. 네 짝이 된 사람을 쳐라. 목자를 쳐라. 그러면 양들이 흩어질 것이다. 나는 흩어진 작은 것들 위에 내 손을 드리울 것이다"(슥 13:7).

스가랴는 목자가 사라지면, 그 시대에 어둠이 찾아온다고 말합니다. 지도자가 바로 서지 않으면, 그 구성원들이 불행해지는 법입니다.

그런가 하면, 히브리서에서는 목자에 관한 재미있는 표현을 찾아볼 수 있습니다.

평강의 하나님, 곧 양들의 큰 목자이신 우리 주 예수를 죽은 사람 가운데서 영원한 언약의 피로 이끌어 내신 분이 그분의 뜻을 행할 수 있도록 모든 선한 것으로 여러분을 온전케 해 주시기를 원합니다. 또한 하나님께서 예수 그리스도로 말미암아 그분에게 기쁨이 되는 것을 우리 안에서 행하시기를 원합니다. 하나님께 영광이 영원무궁하기를 빕니다. 아멘"(히 13:20-21).

베드로는 교회 장로들에게 리더십에 관해 이렇게 권면합니다.

맡겨진 사람들에게 군림하는 자세로 하지 말고 오직 양 떼의 모범이 되십시오. 그렇게 하면 목자장이 나타나실 때 여러분은 시들지 않는 영광의 면류관을 받게 될 것입니다"(벧전 5:3-4).

성경이 가르쳐 주는 하나님 나라의 리더십을 한마디로 말하면, '한 마리 양이라도 잘 인도하는 것'이라고 할 수 있습니다. 진정한 리더십이 있는 사람에게는 선한 목자의 심정이 있습니다. 부활하신 예수님이 승천하시기 전에 베드로에게 "내 양을 먹이라"고 하신 말씀을 기억해야 합니다. 진정한 리더가 할 일은 힘의 발휘가 아니라 양 떼를 치는 것입니다. 우리는 목회하는 사람을 흔히 '목사'라고 부릅니다. 엄밀히 말하자면, '목자'라고 불러야 옳습니다. 목회자란 양을 치는 사람이기 때문입니다.

선한 목자에 반대되는 개념이 '삯꾼 목자'입니다. 세상 지도자는 대부분 삯꾼 목자입니다. 그들은 권력을 추구하는 성향이 강하며, 그들의 리더십은 인위적입니다. 그들이 지도력을 발휘하는 이유는 부와 명예와 권력을 획득하고 유지하기 위함입니다. 최고의 자리에 오르기 위해 다른 사람을 아무렇지도 않게 이용합니다. 이것이 바로 세상 지도자들의 특징입니다.

선한 목자가 양들을 우리에서 잘 인도해 내어 꼴을 먹이고 물가에서 편히 쉬게 하며 보호해 주는 것과 달리, 삯꾼 목자는 양들에게서 젖과 고기와 가죽과 털을 얻기 위해 사육할 뿐입니다. 사람들이 돼지에게 먹이를 주고 예방 주사를 놓아 주는 것은 잡아먹기 위함이지 돼지를 사랑해서가 아닙니다.

이처럼 하나님 나라의 리더십은 세상의 리더십과 다릅니다. 잘못된 리더십에 현혹되지 마십시오. 삯꾼 목자에게 속지 말고, 참 목자를 만나십시오.

참 목자는 양들을 안전하게 인도한다

예수님은 참 목자가 양들에게 세 가지 일을 베푼다고 말씀하십니다. 우선, 참 목자는 양들을 안전하게 인도합니다(요 10:1-6). 두 번째로, 양들을 푸른 초장으로 인도하고 배불리 먹입니다(요 10:7-10). 마지막으로 참 목자는 양들을 위해 자기 목숨을 아낌없이 내어 줍니다(요 10:11-21).

양들을 안전하게 인도하는 참 목자에게는 네 가지 특징이 있습니다. 첫째, 참 목자는 구원을 베풉니다.

> 내가 진실로 진실로 너희에게 말한다. 양의 우리에 들어가되 문으로 들어가지 않고 다른 길로 넘어 들어가는 사람은 도둑이요, 강도다. 문으로 들어가는 사람은 양들의 목자다(요 10:1-2).

참 목자는 외부에서 침입하려는 악한 세력을 막기 위해 어떤 고난이나 역경도 이겨 냅니다. 그리고 양들을 끝까지 보호하여 끝내 평안한 휴식처로 인도하고 맙니다. 힘센 자가 리더가 아니라 구원하는 자가 리더입니다.

여기서 예수님이 재미있는 말씀을 들려주십니다. 양 우리의 문으로 들어오지 않고 담을 넘어 들어오는 자는 도둑이요 강도라고 말씀하십니다. 참 목자는 문으로 들어오는 법입니다. 물리적인 수단과 방법을 동원해 침입하는 자가 진정한 지도자일 리 없습니다.

성경은 도둑 같은 리더십에 관해 자주 경고합니다. 디모데전서 6장은 교회 안에 다른 교리를 가르치고 예수님의 말씀에 부합하지 않는 교훈을 따르는 자들을 도둑처럼 묘사합니다. 그들은 교만하여 아무것도 이해하지 못하고 쓸데없는 논쟁과 말싸움을 일삼을 뿐입니다.

베드로후서 2장은 멸망하게 할 이단을 가만히 끌어들이고, 호색에 빠져 탐심으로 거짓말하는 거짓 선생들이 교회 안에 있다고 경고하는데, 그들은 양의 탈을 쓴 이리와도 같이 사람들을 속이고 선동합니다. 유다서도 교회에 '슬그머니 들어온 사람들'을 경계하라고 가르칩니다.

또한 이사야서는 "아는 것도 없는 목자들"(사 56:11)을 지적하고, 예레미야서는 "내 목장의 양을 멸하고 흩어 버리는 목자들"(렘 23:1)에게 화가 있으리라고 선포합니다. 에스겔 34장은 '하나님의 양 떼를 잡아 자기들의 배를 채우는 목자들'에 관해 말합니다.

이들이 바로 종교의 가면을 쓴 타락한 지도자들이며 삯꾼 목자들입니다.

둘째, 참 목자는 양 우리의 문지기가 알아봅니다.

문지기는 목자를 위해 문을 열어 주고(요 10:3a).

당시 양 우리는 개별로 사용하거나 공동으로 사용했습니다. 여기서는 공동으로 사용하는 양 우리를 말합니다. 참 목자가 양 떼를 인도해 문에 다다르면, 문지기가 참 목자를 알아보고 문을 열어 줍니다.

셋째, 참 목자는 양들의 이름을 불러 인도해 냅니다.

> 양들은 목자의 음성을 알아듣는다. 목자는 자기 양들의 이름을 하나하나 부르며 밖으로 데리고 나간다(요 10:3b).

성경적 리더십은 일 중심이 아닌 관계 중심임을 보여 주는 말씀입니다. 성경의 관심은 양들의 많고 적음에 있지 않고, 목자가 양들을 얼마나 잘 관리하느냐에 있습니다.

그런데 사람들은 일 중심의 리더십에 익숙합니다. 교회에서조차 사람을 보지 못하고 일을 우선시하는 모습을 종종 봅니다. 탁월한 능력을 발휘하는 리더는 대개 일이 없을 때는 홀로 외로운 시간을 보내는 경우가 많습니다. 왜냐하면 그를 찾아오는 사람이 없기 때문입니다. 반면에 일보다는 관계를 중시하는 사람은 세월이 갈수록 친구가 많아집니다. 사람들이 그를 따르고 사랑하게 되기 때문입니다.

참 목자가 양 떼를 안전하게 인도하는 것은 그들을 구원하기 위함입니다. 우리가 연약한 사람을 돌보거나 절망에 빠져 죽어 가는 사람들을 찾아다니는 것은 그들이 하나님의 자녀로 거듭나도록 돕기 위함입니다. 교회는 사람에게 관심을 가져야 합니다. 선한 목자의 임무는 많은 양을 키우는 데 있지 않고, 한 마리의 양이라도 제대로 돌보는 데 있기 때문입니다.

참 목자와 양들의 관계에서 배우는 진정한 리더십의 두 번째 조건은 물질 중심이 아닌 인격 중심의 리더십이어야 한다는 것입니다. 규모가 크다고 해서 좋은 교회라고 할 수는 없습니다. 규모와 상관없이 양 떼가 얼마나 꼴을 충분히 먹고 잘 양육받으며 평안한가가 중요합니다. 이것들이 충족되어야 좋은 교회라고 말할 수 있습니다.

"현대 교회의 강점은 '좌석 수'(sitting capacity)가 아닌 '선교사 파송 지역 수'(sending capacity)에 달려 있다"는 말이 있습니다. 목자와 양들의 관계에서 비롯된 말입니다. 자기 양들을 아는 목자가 그 이름을 부르면 양들이 목자의 음성을 듣습니다. 이것이야말로 하나님이 기뻐하시는 공동체, 진정한 리더십이 살아 있는 공동체의 관계입니다.

넷째, 참 목자는 양들도 믿고 따릅니다.

자기 양들을 다 불러낸 다음에 목자가 앞서 가면 양들은 목자의 음성을 알고 뒤따라간다. 그러나 양들은 결코 낯선 사람을 따라가지 않는다. 낯선 사람의 음성을 알아듣지 못하기 때문에 양들은 도리어 그에게서 피해 달아난다." 예수께서 그들에게 이런 비유로 말씀하셨지만 그들은 예수께서 자기들에게 무슨 뜻으로 그렇게 말씀하시는지 깨닫지 못했습니다(요 10:4-6).

일 중심 문화에 길들여진 우리는 자신도 모르는 사이에 성과주의와 결과주의에 얽매여 있습니다. 그러나 인생은 속도가 아닌 방향의 문제입니다. 따라서 인생에서 구할 것은 쾌락이 아닌 감동입니다. 작은 자에게 냉수 한 그릇을 건네는 마음의 여유와 영적 안목이 자신에게 있는지 자문해 보십시오. 목자와 양들의 진실한 관계 속에서 살아가고 있는지 스스로 점검해 보십시오. 자신을 돌아볼 때, 스스로 감동할 수 있는 인생을 살아야 합니다.

예수님은 목자의 음성을 아는 양들은 낯선 사람을 따라가지 않는다고 말씀하십니다. 진정한 리더십이란 명령과 복종의 관계가 아니라 존경과 신뢰의 관계임을 확인시켜 주시는 말씀입니다.

권력은 명령하고 복종하는 관계에서나 필요한 것입니다. 사람들은 더 큰 힘을 갖기 위해 애씁니다. 부와 명예를 많이 확보할수록 힘은 더 막강해집니다.

그러나 성경은 그런 힘보다 더욱더 중요한 것이 있다고 말합니다. 바로 사랑입니다.

목자와 양들의 관계는 성경적 인간관계의 기준을 제시합니다. 세상은 책임과 의무의 관계를 강조하지만, 성경은 사랑과 헌신의 관계를 강조합니다. 참 목자는 양 우리의 문을 통해 드나들며 양들을 푸른 초장으로 안전하게 이끌어 꼴을 먹이고, 물가에서 쉬게 하며 보호해 줍니다. 선한 목자는 양들을 위해서 자기 목숨을 기꺼이 바칠 정도로, 양들을 사랑합니다.

목자와 양들의 관계에서 어느 쪽이 더 중요합니까? 불순종하는 거친 양들을 순하게 만들 책임이 목사와 장로, 즉 교회 지도자들에게 주어졌습니다. 그러나 성도들이 그들을 믿고 따라 주어야만 그들이 참 목자로 바로 설 수 있습니다. 그러므로 양쪽이 모두 중요합니다.

참 목자이신 예수 그리스도의 음성에 귀 기울이십시오. 그 음성을 알아야 좋은 꼴을 먹을 수 있고, 삯꾼 목자들의 도적질을 피할 수 있습니다. 교회와 가정과 사회가 선한 목자의 참 리더십을 좇을 수 있기를 기도합니다.

5

옹색한 내 삶을
바꿔 주십니다

요한복음 10:7-10

양의 문이 되어 지키시다

예수님은 제자들에게 서로 다른 두 목자의 모습을 비교해 말씀해 주셨습니다. 하나는 자기 양들을 사랑하여 스스로 목숨을 바칠 정도로 헌신적인 선한 목자입니다. 예수님 자신이 바로 선한 목자이십니다.

목자란 지금으로 치면 리더, 즉 지도자를 가리킵니다. 예수님은 선한 목자의 모습이야말로 하나님 나라의 리더십이라고 말씀하십니다. 선한 리더십에는 가정과 사회와 민족을 변화시키는 힘이 있습니다.

다른 하나는 양들을 수단으로 여기고 심지어 잡아먹기까지 하는 삯꾼 목자입니다. 그들은 이리 떼가 달려들거나 위기가 닥치면 양들을 버리고 도망쳐 버립니다. 양들은 그들에게 먹을거리요 약탈의 대상일 뿐입니다. 한마디로 그들은 가짜 목자입니다.

성경은 목자가 양들을 사랑하는 마음을 아버지가 자녀를 사랑하는 마음에 비유합니다. 선한 목자는 양들의 수가 많고 적음에 관심을 두지 않습니다. 그는 양들을 포기하거나 잃는 법이 없습니다. 양이 길을 잃으면, 나머지 양들을 우리에 남겨 두고는 그 한 마리를 찾아 나섭니다. 이처럼 선한 목자는 수지 타산이 맞지 않고, 논리적으로 설명되지 않는 일을 합니다. 왜냐하면 양들을 사랑하기 때문입니다.

선한 목자야말로 참 목자입니다. 참 목자는 양 우리의 문으로 들어와 양들을 안전하게 인도해 내지만, 가짜 목자는 양의 털이나 고기를 노리고 담을 넘거나 문을 부수고 들어옵니다.

경제 논리로는 선한 목자의 사랑을 이해할 수 없습니다. 목자는 잃어버린 한 마리 양을 찾기 위해 위험한 길도 마다하지 않고 나섭니다. 양을 찾을 때까지 수고를 아끼지 않습니다. 그리고 마침내 찾았을 때, 크게 기뻐하고 또 기뻐합니다. 그가 양에게서 얻는 것은 털이나 고기가 아니라 기쁨입니다. 이것이 바로 성경적 리더십이며, 그 키워드는 바로 '사랑'입니다.

선한 목자는 양들을 우리에서 안전하게 이끌어 푸른 초장과 잔잔한 물가로 인도해 줍니다. 그곳에서 풍성한 꼴을 먹고, 생수를 마시게 합니다. 이것이 바로 참 목자가 양들에게 베푸는 세 가지 일 중의 두 번째 일입니다.

이 장에서는 양들을 푸른 초장으로 인도하고 배불리 먹이시는 참 목자에 관해 살펴보겠습니다.

그래서 예수께서 다시 말씀해 주셨습니다. 내가 진실로 진실로 너희에게 말한다. 나는 양의 문이다(요 10:7).

예수님은 앞서 자신을 문으로 양의 우리에 들어가는 참 목자로 소개하셨는데, 7절에서는 '양의 문'으로 소개하십니다. 참 목자는 사람들을 진리로 인도합니다. 그렇다면 양의 문은 무엇을 의미할까요? 예수님 자신이 바로 진리 그 자체라는 말씀입니다.

어떤 여행자가 목장을 견학했습니다. 양 우리를 돌아보며 목자에게 이런저런 궁금한 것을 물었습니다. 우리는 사면이 담으로 둘러싸여 있었고, 출구가 하나뿐이었는데 문이 달려 있지 않았습니다. 이상하게 여긴 여행자가 목자에게 왜 문이 없느냐고 물었습니다. 목자는 "내가 바로 문입니다"라고 대답했습니다. 양들이 우리 안으로 다 들어가면 목자가 출구를 막고 눕는다는 것입니다. 양들이 우리 밖으로 나가려면 목자를 밟고 지나가야 합니다. 이리 떼가 공격하려고 해도 출구에 누운 목자를 넘어가야 합니다. 목자는 스스로 문이 되어 밤새 양들을 안전하게 지키는 것입니다.

비로소 우리는 "나는 양의 문이다"라고 하신 예수님의 선언을 제대로 이해할 수 있습니다. 예수님은 "나는 내 음성을 아는 내 양들을 인도하는 선한 목자요 양 우리를 지키는 문이다. 나를 통하지 않고 들어오는 자는 모두 도둑이다. 문을 부수고 들어오거나 담을 넘어 들어오는 것은 양들을 훔치고 죽이고 멸망시키기 위함이기 때문"이라고 말씀하십니다.

나보다 먼저 온 사람들은 모두 다 도둑이며 강도였기에 양들이 그 말을 듣지 않았다. 나는 문이다. 누구든지 나를 통해 들어오는 사람은 구원을 얻고 들어오고 나가면서 꼴을 얻을 것이다(요 10:8-9).

도둑은 주로 야심한 시각에 쥐도 새도 모르게 침입하는 법입니다. 도둑이 양 우리로 들어가는 것은 양을 훔치거나 잡아먹기 위함입니다. 그러나 목자의 음성을 아는 양들은 도둑을 따라나서지 않습니다.

세상은 종교나 철학이나 사상을 통해 그럴싸한 말로 인간을 유혹합니다. 마치 인간을 행복하게 해 줄 것처럼 유혹하지만, 실은 인간의 영혼을 도둑질할 뿐입니다. 때로는 이념과 제도가 세상을 어지럽히고, 인간을 파멸시키기도 합니다. 엉뚱한 문을 드나들다가 구원을 놓치는 영혼이 얼마나 많은지 모릅니다. 예수 그리스도만이 친히 양의 문이 되십니다. 그 문으로 들어가야 구원을 얻습니다.

다른 이름을 주신 적이 없다

예수님은 "나는 길이요, 진리요, 생명이니 나를 통하지 않고서는 아버지께로 올 사람이 없다"(요 14:6)고 말씀하십니다. 주님은 자신이 여러 길 중의 하나라고 말씀하시지 않았습니다. 주님은 천국으로 향하는 유일한 길이십니다. 예수 그리스도께서는 수많은 진리 가운데 하나가 아닌 유일하고 영원한 진리이십니다. 수많은 생명 가운데 하나가 아닌 유일하고 영원한 생명이십니다.

더 나아가 예수님은 "나는 부활이요, 생명이니 나를 믿는 사람은 죽어도 살겠고 살아서 나를 믿는 사람은 영원히 죽지 않을 것이다. 네가 이것을 믿느냐?"(요 11:25-26)라고 강조하십니다. 예수님은 자신을 "세상의 빛"(요 9:5), "하늘에서 내려온 살아 있는 빵"(요 6:51), "영원히 목마르지"(요 6:35) 않을 생수, "포도나무"(요 15:5) 등으로 다양하게 소개하셨습니다.

사도행전은 구원에 관해 이렇게 말합니다.

> 예수 외에 다른 어느 누구에게서도 구원을 받을 수 없습니다. 하나님께서는 하늘 아래 우리가 구원받을 만한 다른 이름을 우리에게 주신 일이 없기 때문입니다(행 4:12).

이 말씀을 처음 읽은 사람은 부담감을 느끼지만, 곱씹어 암송하다 보면 "아멘!" 하고 화답하게 됩니다. 하나님은 구원을 위해 다른 이름을 주신 적이 없습니다. 오직 한 이름, 예수 그리스도만을 주셨습니다. 예수님만이 천국으로 가는 유일한 길이십니다.

불교나 이슬람교 같은 다른 종교를 믿어도 착하게만 살면 천국에 간다고 주장하는 사람들이 있습니다. 그들은 예수 그리스도를 믿어야만 구원받을 수 있다는 기독교의 교리는 너무 배타적인 주장이라고 비난합니다. 그러나 하늘에 태양이 둘 있을 수 없고, 두 어머니가 한 아이를 낳을 수 없듯이 하나님은 한 분이시며 구원의 길 또한 하나입니다.

> 도둑은 훔치고 죽이고 멸망시키려고 온다. 그러나 내가 온 것은 양들이 생명을 얻게 하되 더욱 풍성하게 얻게 하려는 것이다(요 10:10).

예수님은 참 목자이시며 우리는 그분이 돌보시는 양들입니다. 도둑은 우리를 하나님에게서 훔쳐 죽이고 멸망시키려고 접근해 오지만, 예수님은 우리로 하여금 생명을 얻게 할 뿐만 아니라 그 생명을 풍성하게 해 주려고 오셨다는 이 말씀은 요한복음의 핵심 주제이자 믿음의 근거입니다.

우리 영혼을 노리는 도둑들은 행복이나 성공이라는 이름으로 우리를 유혹하여 이단에 빠뜨리거나 헛된 이념에 마음을 빼앗기게 만듭니다. 또한 그릇된 가치관을 심어 주어 영혼을 송두리째 흔들어 댑니다. 우리 인생을 망가뜨려 육체와 영혼을 파멸시키고, 결국 자기 삶을 스스로 포기하도록 몰아붙입니다.

그러나 예수님은 십자가에서 죽으시고 무덤에서 부활하심으로써 우리에게 새 생명을 주셨습니다. 이것이 구원이며 그 핵심은 생명입니다. 행복의 핵심은 무엇입니까? 돈이나 건강이나 인기나 성공이 핵심입니까? 아닙니다. 영생을 소유해야 진정한 행복이라고 할 수 있습니다. 기독교의 핵심은 생명입니다. 하나님은 생명을 주시는 분이요 생명의 원천은 예수 그리스도께 있으며 성령이 생명을 풍성하게 얻게 도우십니다.

차고 넘치는 은혜를 경험하라

그리스도인은 예수 그리스도의 생명을 풍성하게 얻은 사람입니다. 그러므로 그리스도의 생명이 그의 삶에서 풍성하게 흘러넘쳐야 합니다. 그리스도인의 풍성한 삶이란 오래 사는 것을 의미하지 않습니다. 슬픔이나 고통이나 질병이 없는 삶을 뜻하지도 않습니다. 그리스도인도 슬픔을 경험하고, 고통을 겪기도 합니다. 그러나 그에게는 세상이 알지 못하는 영생이 있습니다.

풍성한 삶을 살면 하루하루가 아름답고 의미 있으며 매일 기적을 경험합니다. '풍성한'(abundant)의 라틴어 어원을 살펴보면, '파도를 일으키다'라는 뜻이 있습니다. 파도는 끊임없이 출렁거리며 뭍으로 밀려들다가 사라지곤 합니다. 이처럼 풍성함이란 한 번으로 끝나지 않고 출렁이는 파도처럼 지속적으로 이어지는 법입니다.

또한 '풍성함'의 헬라어 어원을 찾아보면 '초과분'이라는 뜻이 있습니다. 예수님은 "보리빵 다섯 개와 물고기 두 마리"(요 6:9)로 5,000명을 먹이셨는데, 그 남은 것을 모으니 열두 바구니나 되었습니다. 열두 바구니가 바로 초과분인 것입니다. 5,000명을 배불리 먹이고도 남았을 때 풍성하다고 말합니다.

다시 말해 풍성함이란 초과분이 파도처럼 계속 출렁이는 상황을 가리킵니다. 배불리 먹고도 열두 바구니가 남는 은혜가 파도처럼 계속 일어난다는 뜻입니다. 따라서 풍성한 삶이란 만족감이 지속되며 초과분이 생길 정도로 흘러넘치는 삶을 뜻합니다.

우리는 예수님께 생명을 얻어 구원을 받고 천국으로 가는 큰 은혜를 받았습니다. 흘러넘치는 은혜, 즉 초과분이 바로 영생입니다. 예수님은 우리를 위해 풍성한 삶을 예비해 두셨습니다. 우리는 구원을 받았을 뿐만 아니라 흘러넘치는 은혜를 받습니다.

시편 23편은 은혜가 흘러넘치는 풍성한 삶을 노래하고 있습니다. 이를 잘 살펴보면, 풍성한 삶을 다섯 가지로 정의할 수 있음을 알 수 있습니다.

첫째, 풍성한 삶이란 부족한 것이 없는 삶입니다. 시편 기자는 "여호와는 내 목자시니 내게 부족한 것이 없습니다"(1절)라고 찬양합니다. 삶에 모자람이 없고, 오히려 은혜가 파도처럼 차고 넘칩니다. 당장 죽어도 여한이 없을 만큼 풍성한 삶입니다. 건강해서나 돈이 많아서나 사회적으로 성공해서가 아닙니다. 여호와께서 목자가 되어 주시니 부족함이 없어서 좋은 것입니다. 목자이신 주님이 우리를 "푸른 목장에 눕히시고 잔잔한 물가로 인도"(2절)하신다는 것은 우리 앞에 놓인 모든 위험을 제거하시고 우리로 하여금 편히 쉬게 하신다는 뜻입니다.

둘째, 풍성한 삶이란 인도함을 받는 삶입니다. 시편은 "내 영혼을 회복시키시고 당신의 이름을 위해 의로운 길로 인도하십니다"(3절)라고 노래합니다. 풍성한 삶이란 주님이 가신 의로운 길로 인도받는 삶입니다. 꼴을 배불리 먹을 뿐만 아니라 생수도 흡족히 마시는 것입니다.

셋째, 풍성한 삶이란 위기를 탈출하는 삶입니다. 시편 기자는 "내가 죽음의 그림자가 드리운 골짜기를 지날 때라도 악한 것을 두려워하지 않는 이유는 주께서 나와 함께 계시기 때문입니다. 주의 지팡이와 막대기가 나를 지키시고 보호하십니다"(4절)라고 고백합니다. 예수님이 우리를 위기에서 구해 주시고, 고단한 삶을 놀라운 삶으로 변화시켜 주십니다.

넷째, 풍성한 삶이란 적들 앞에서 상을 받는 삶입니다. 그리스도인은 "주께서 내 적들 앞에서 내게 상을 베푸시고 내 머리에 기름을 부으셨으니 내 잔이 넘칩니다"(5절)라고 고백하는 삶을 삽니다. 우리 잔은 하나님의 위로로 흘러넘칩니다. 이것이 바로 우리 상이요 축복입니다.

다섯째, 풍성한 삶이란 하나님의 집에서 영원히 사는 삶입니다. "내 평생에 선하심과 한결같은 사랑이 진실로 나와 함께하실 테니 내가 여호와의 집에서 영원히 살 것입니다"(6절)라고 고백하는 삶인 것입니다.

우리는 이처럼 풍성한 삶을 살아야 합니다. 왜냐하면 예수님이 "내가 세상에 온 것은 양으로 생명을 얻게 하고, 더 풍성히 얻게 하려는 것"(요 10:10)이라고 말씀하셨기 때문입니다. 예수님은 그것을 위해 기꺼이 십자가를 지셨고 약속하신 대로 무덤에서 부활하셨습니다.

어떤 위기나 고난이 닥칠지라도 두려워하지 마십시오. 주님이 우리 삶을 기쁜 찬송과 희망의 노래로 가득 채워 주실 것입니다. 주님의 약속을 믿고 예수 그리스도 안에서 풍성한 삶을 사십시오. 매일의 삶에 은혜가 차고 넘치기를 축원합니다.

6

참 목자는 나를
버리지 않으십니다

요한복음 10:11-18

자기 목숨을 내놓을 정도로 사랑하다

이번 장에서는 참 목자가 양들에게 베푸는 세 가지 일 가운데 마지막 세 번째 일을 살펴볼 것입니다. 예수님은 목자가 양들을 위해 자기 목숨을 아낌없이 내어 준다고 말씀하십니다.

> 나는 선한 목자다. 선한 목자는 양들을 위해 자기 생명을 내놓는다. 삯꾼은 목자가 아니요, 양들도 자기의 것이 아니기 때문에 이리가 오는 것을 보면 양들을 버리고 달아난다. 그러면 이리가 양들을 물어가고 양 떼를 흩어 버린다(요 10:11-12).

예수님이 자신을 "선한 목자"로 선언하신 이유와 그 의미를 생각해 봐야 합니다. 사람들은 흔히 하나님을 범접하기 어려운 절대자, 권위 있는 초월자로만 여깁니다. 감히 접근할 수 없을 정도로 멀리 계시는 분으로 인식하는 것입니다. 또한 죄를 심판하고 징벌을 내리시는 엄한 분이므로 과연 하나님께 용서와 사랑을 받고 위로나 격려를 받을 수 있을지 의문을 갖습니다.

그러나 하나님은 독생자를 세상에 보내실 만큼 우리를 사랑하시는 '참 좋으신 분'이며 늘 가까이 계시며 우리를 돌보시는 '참 목자'이십니다. 예수님은 세상 사람들이 하나님에 관해 갖는 오해를 송두리째 바꿔 놓으십니다. 하나님은 멀리 계시지 않고, 육신의 아버지처럼 가까이 계십니다. 그리고 선한 목자가 양들을 돌보듯이 하나님은 연약한 자를 보호하시고, 절망에 빠져 방황하는 이들에게 희망을 주시며 죄지은 자들을 용서해 주십니다.

하나님은 '탕자 이야기'에 등장하는 아버지와도 같으십니다. 탕자는 아버지에게서 물려받을 유산 중에서 자기 몫을 미리 받아 먼 나라로 떠났다가 탕진한 뒤에 아버지에게로 돌아옵니다. 과연 아버지가 자신을 받아 주실지 몰라서 불안에 떨며 돌아오는데, 날마다 문밖을 내다보며 아들이 돌아오기만을 기다렸던 아버지가 먼저 달려와 그를 얼싸안고 눈물을 흘리며 기뻐합니다. 빈털터리가 되어 추레한 모습으로 돌아온 아들에게 좋은 옷을 입히고, 동네잔치를 벌입니다. 이처럼 탕자 같은 우리의 잘못을 모두 용서하시고, 절망에 빠진 우리에게 희망을 주시는 분이 바로 우리 하나님 아버지이십니다.

하나님은 무자비하게 우리 죄를 심판하고 징벌만 하시는 분이 아닙니다. 오히려 오래 참으시고, 우리가 마음을 돌이켜 주님께로 돌아오면 죄를 용서해 주시는 분입니다. 예수님은 선한 목자의 모습을 통해 하나님 아버지의 사랑을 보여 주십니다.

예수님이 들려주시는 참 목자의 리더십은 다섯 가지로 정리할 수 있습니다. 첫째, 참 목자는 양들을 위해 자신을 희생하고 목숨까지 버립니다. 당시 바리새파 사람들이나 서기관들에게 이러한 리더십은 굉장히 충격적이었습니다. 왜냐하면 그들이 평소 생각하던 리더십과 너무나도 다른 차원의 이야기였기 때문입니다. 바리새파 사람들은 자신을 특별히 구별된 자들로 여기며 성숙한 신앙인으로서 하나님께 권위를 인정받고 있다고 믿었습니다. 그런데 예수님이 그들의 고정관념을 깨뜨려 버리신 것입니다. 선한 목자는 권위를 내세우기보다는 양 떼를 지키고 보호하기 위해 자기 목숨마저도 아낌없이 버리기 때문입니다.

사람들은 지도자를 '사람들을 거느리고 군림하는 자' 또는 '아랫사람을 부리는 자'로 생각합니다. 돈과 권력을 쥐고 사람들에게 명령하는 존재로 보기 때문에 남들보다 더 높은 자리로 오르기 위해 애씁니다. 사회적 지위가 높아질수록 성공한 것이고, 많은 사람을 마음대로 부릴 수 있기 때문입니다. 그래서 성공의 지름길을 찾고, 호시탐탐 기회를 노립니다.

그러나 예수님은 지도자를 왕이나 장군으로 빗대어 표현하신 적이 단 한 번도 없으십니다. 오히려 양들을 지키고 보호하며 그들이 위기에 처했을 때 자기 목숨을 버려서라도 그들을 구해 내는 목자가 진정한 지도자라고 말씀하십니다.

여기서 보스(boss)와 서번트(servant)의 서로 다른 리더십을 볼 수 있습니다. 사람들은 흔히 보스, 즉 우두머리를 지도자로 여기지만, 예수님은 서번트, 즉 '섬기는 자'를 지도자로 보십니다. 참 목자란 사랑하고 헌신하며 희생하는 이이며 예수 그리스도야말로 바로 그런 분이십니다.

선교사들은 낯선 선교지에서 예수님의 복음을 전파하기 위해 자녀 교육은 포기하곤 합니다. 세상에 자기 자녀의 교육을 쉽게 포기할 사람이 어디 있습니까? 부모라면 자녀가 좋은 환경에서 질 높은 교육을 받기를 원할 것입니다. 그러나 벽지로 파송된 선교사들의 자녀는 문명의 혜택을 누리지 못한 채 원주민들과 함께 자라기도 합니다. 선교사 자신의 미래뿐 아니라 자녀들의 미래까지도 복음을 위해 기꺼이 바친 것입니다. 이름 없이 빛없이 묵묵히 봉사하며 결정적인 순간에 자기 목숨마저 버릴 각오가 되어 있는 참 목자들을 통해 복음이 세계 곳곳에 전해지고 있습니다.

손에서 놓지 않고 끝까지 돌보다

미국 서부 영화에서 말을 타고 채찍을 휘두르며 소 떼나 양 떼를 모는 카우보이를 본 적이 있을 것입니다. 세상에는 카우보이형 지도자들이 많습니다. 그러나 성경은 그런 이들을 목자라고 부르지 않습니다. 카우보이에게 소나 양은 돈벌이 수단에 불과할 뿐이기 때문입니다.

예수님은 선한 목자와 반대되는 지도자상으로 삯꾼 목자를 예로 드십니다. 삯꾼 목자는 목자인 척할 뿐 진짜 목자가 아닙니다.

그들이 원하는 것은 양의 고기와 털뿐이기 때문입니다. 그들은 언제든지 필요에 따라 양들을 팔아 치우거나 죽여 버립니다. 양들이 위험에 노출되어도 손익을 따져 보고 손해가 클 것 같으면 미련 없이 버리고 떠납니다.

> 달아난 것은 그가 삯꾼이므로 양들에게 관심이 없기 때문이다(요 10:13).

이 말씀에서 주목할 단어는 '관심'입니다. 삯꾼 목자는 어차피 양들이 자기 것이 아니기에 양들의 건강에는 관심이 없습니다. 그저 양의 무게를 재고, 수를 세며 관리할 뿐입니다. 관심과 관리는 하늘과 땅만큼이나 큰 차이가 있습니다.

둘째, 참 목자는 양들을 돌보고 기릅니다. 목자의 손길이 닿지 않는 양이 없습니다. 자녀들은 부모의 손길로 돌봄을 받고 자랍니다. 부모의 손길이 닿은 아이와 그렇지 않은 아이는 한눈에 봐도 차이가 납니다. 자녀가 방황하고 잘못을 저질러도 끝까지 인내하고 돌보는 것이 부모이듯이 참 목자는 양들을 손에서 놓지 않고 끝까지 돌봅니다.

셋째, 참 목자는 양들과의 관계를 부자 관계로 여깁니다. 스승과 제자 관계나 선배와 후배 관계나 상관과 부하의 관계가 아닙니다. 아버지가 아들을 알고, 아들이 아버지를 아는 것처럼 목자는 양들을 알고, 양들은 목자를 압니다. 성경은 이처럼 목자와 양들의 관계를 아버지와 아들의 관계로 묘사하고 있습니다.

> 나는 선한 목자다. 나는 내 양들을 알고 내 양들은 나를 안다. 이것은 마치 아버지께서 나를 아시고 내가 아버지를 아는 것과 같다. 나는 양들을 위해 내 생명을 내놓는다(요 10:14-15).

어느 날, 한 성도가 나를 찾아왔습니다. 아들이 암에 걸렸는데 어떻게 해야 아이를 살릴 수 있을지 모르겠다면서 눈물을 흘렸습니다. 이제 겨우 열여섯 살밖에 안 된 아들이 죽을병에 걸렸으니 얼마나 두려웠겠습니까? 아들을 위해 간절히 기도했습니다. 얼마 뒤에 인천국제공항에서 우연히 그분을 다시 만났는데, 암 치료를 위해 미국 휴스턴으로 가는 길이라고 했습니다. 아들을 살릴 수만 있다면, 미국이든 어디든 날아가는 것이 아버지의 사랑입니다. 이것이 바로 양들을 위해 자기 목숨을 내어놓는 참 목자의 마음입니다.

잃어버린 영혼을 찾아 울타리 너머로 스스로 나아가다
넷째, 참 목자는 우리 밖에 있는 양들도 데려와 자기 양으로 삼습니다.

내게는 이 양의 우리에 속하지 않은 다른 양들도 있는데 그들도 데려와야 한다. 그들도 역시 내 음성을 들을 것이며 한 목자 아래서 한 무리 양 떼가 될 것이다(요 10:16).

이것은 세상에서 찾아볼 수 없는 매우 독특한 리더십입니다. 예수님은 "이 양의 우리에 속하지 않은 다른 양들"이 있다고 말씀하십니다. 우리 안에 있는 양들이 이스라엘이라면, 우리 밖에 있는 양들은 하나님을 만나 본 적이 없고, 구원 얻을 길을 알지 못하는 이방 사람들이라고 할 수 있습니다. 예수님은 그들도 데려와야 한다고 말씀하십니다.

하나님은 이스라엘 백성에게 이방 사람들을 구원하는 일을 맡기셨지만, 그들은 도리어 하나님을 독점해 버렸습니다. 그래서 하나님은 이스라엘 백성을 뒤로 하시고, 이방 사람들에게로 친히 다가가신 것입니다. 그에 관한 이야기가 바로 로마서입니다. 참 목자는 우리 밖의 양들을 마음에 품고 그들을 데려오기 위해 뜨겁게 기도하며 괴로워하는 사람입니다.

16절은 선교 리더십에 관해 놀라운 메시지를 던져 줍니다. 울타리 안에 있는 믿는 자들이 구원받고 천국에 가는 것으로 모든 일이 끝나는 게 아닙니다. 울타리 밖에 있는 잃어버린 영혼들을 어떻게 구원할 것인가가 우리에게 주어진 영원한 과제입니다. 가족이나 친척이나 북한 동포나 미전도 종족들이 우리 밖에 있습니다. 그들에게도 복음을 전해야 하는 사명이 우리에게 주어졌습니다.

얼마 전에 여섯 번째 일본 온누리 비전교회를 요코하마에 세우면서 얼마나 감동했는지 모릅니다. 말로 형언할 수 없을 만큼 기뻤습니다. 곧 나고야에도 교회를 개척할 것을 생각하니 벌써부터 흥분됩니다.

성도 한 명 없이 세웠던 우에다 비전 교회가 1년 6개월 만에 40명으로 늘어났는데, 그중 한 성도가 세례 간증 시간에 들려준 이야기가 기억에 남습니다. 그분은 일본에서 자신이 가장 불행한 여자였을 것이라고 말합니다. 자살을 생각할 정도로 사는 게 힘들었던 사람입니다. 우연히 우에다 교회를 발견하고 들어왔다가 "당신은 사랑받기 위해 태어난 사람"이라는 찬양을 들었다고 합니다. 사랑받기 위해 태어났다는 말을 난생 처음 듣고 크게 감동되어 아들과 함께 세례를 받기로 한 것입니다. 나는 그분의 마지막 말을 잊을 수가 없습니다.

"우에다 교회는 저를 위해 세워졌습니다."

이것이 교회입니다. 울타리 밖에 있는 영혼, 죽어 가는 영혼이 그 일본 여성 한 명뿐일까요? 이 땅에도 많은 사람이 복음을 듣지 못해서, 예수님을 만나지 못한 채 절망하며 죽음의 길을 가고 있습니다. 우리뿐 아니라 그들도, 우리 모두가 예수님을 필요로 합니다.

다섯째, 참 목자는 스스로 일합니다.

내 아버지가 나를 사랑하시는 까닭은 내가 생명을 다시 얻기 위해 생명을 내놓았기 때문이다. 누가 내게서 생명을 빼앗는 것이 아니라 내가 스스로 내놓는 것이다. 나는 그것을 내놓을 권세도 있고 또 다시 얻을 권세도 있다. 이 계명은 내가 내 아버지께로부터 받은 것이다(요 10:17-18).

선교사는 복음을 전파하기 위해 모든 것을 기꺼이 버리고 미지의 땅으로 떠나는 사람입니다. 자기 땅에서 편안히 살아도 될 텐데, 자원하여 주님이 가신 길을 따르는 사람입니다. 스스로 절제하며 자신을 바치는 선교사야말로 참 목자의 전형입니다.

진정한 리더십은 타율성이 아닌 자율성에 있습니다. 교회에서 주차 안내를 하는 성도들이 있습니다. 매우 고되고 성가신 일을 스스로 선택하여 봉사하는 분들입니다. 그런데 그분들을 함부로 대하는 사람들이 있습니다. 심지어 팁을 건네는 사람도 있다고 합니다. 그러나 스스로 좋아서 하는 일이기에 홀대받아도 섭섭해하지 않습니다.

나이가 많거나 적거나, 몸이 건강하거나 불편하거나 상관없이 자원하는 마음이 있으면 누구나 하나님 나라를 위해 봉사할 수 있습니다. 교회에서 머리가 희끗희끗한 성도나 휠체어를 탄 성도들이 봉사하는 모습을 종종 볼 수 있습니다. 이것이 진정한 리더십입니다.

우리를 위해 자기 목숨을 스스로 버리신 예수님은 참 리더십의 모형이십니다. 우리 믿는 사람들은 예수님처럼 세상이 모르는 기쁨과 평안과 감동을 안고 살아가야 합니다. 우리는 참 목자이신 예수 그리스도를 따르는 양들이기 때문입니다. 손해 봐도 좋아하고, 욕먹어도 좋아하며 인정받지 못해도 자기 일을 꾸준히 해 나가는 그리스도인들을 보십시오. 어떻게 그럴 수 있는지 달리 설명할 길이 없습니다. 그리스도의 사랑을 알면, 그리스도의 음성을 듣고, 참 목자가 이끄시는 대로 살기 마련입니다. 참 목자의 사랑이 세상을 변화시킵니다.

7

이 복은 아무도
빼앗을 수 없습니다

요한복음 10:19-42

자기 믿음에 함몰되면 예수님의 음성이 들리지 않는다

세상 사람들은 복음의 진리를 환영하지 않고, 진리에 동의하지도 않습니다. 진리를 알지 못하고, 믿지 않는 사람에게 하나님은 불편한 존재일 뿐입니다. 신약 시대에도 예수님이 진실을 말하고 진리를 전파하실 때, 유대 사람들은 매우 고통스러워했습니다. 왜냐하면 그들은 예수님을 믿지 않았기 때문입니다.

이 말씀 때문에 유대 사람들은 다시 의견이 갈라지게 됐습니다. 그들 중 많은 사람들이 "그는 귀신 들려 미쳤다. 그런데 왜 그 사람의 말을 듣느냐?" 하고 말했습니다. 그러나 또 다른 사람들은 "이 말은 귀신 들린 사람의 말이 아니다. 귀신이 눈먼 사람의 눈을 뜨게 할 수 있겠느냐?"라고 말했습니다(요 10:19-21).

유대 사람들은 예수님이 귀신 들려 미쳤다고 말합니다. 예수님의 말씀을 받아들일 수 없고, 예수님의 행동을 도저히 용납할 수 없기에 그렇게 말한 것입니다. 그들은 예수님이 이상한 말로 하나님을 모독하고 있다고 생각합니다.

그런가 하면, 한편에서는 귀신 들린 사람이 어떻게 눈먼 사람의 눈을 뜨게 할 수 있느냐고 물으며 이의를 제기합니다. 유대 사람들 사이에 의견이 분분했습니다.

> 그때 유대 사람들이 예수를 둘러싸고 말했습니다. "당신은 언제까지 우리를 헷갈리게 할 작정이오? 당신이 그리스도라면 그렇다고 분명하게 말해 보시오"(요 10:24).

지난 2,000여 년간 수많은 사람이 예수님의 정체에 관한 질문으로 갈등을 경험해 왔습니다.

"과연 예수는 하나님의 아들인가? 아니면 인간에 불과한가?"

"예수는 정말로 인류의 메시아인가? 아니면 로마 제국하의 이스라엘에 파문을 일으킨 청년에 불과한가?"

예수님을 그리스도로 인정하기를 거부한 유대 사람들은 논쟁을 일삼았습니다. 그럼으로써 그들은 하나님마저 거부한 셈이 되었습니다.

예수님은 사람들이 진리를 받아들이지 않는 이유를 세 가지로 설명해 주십니다. 첫째, 불신앙 때문입니다.

> 내가 이미 말했지만 너희가 믿지 않는구나(요 10:25a).

예수님이 누누이 진리를 말씀하시고, 계속해서 가르치셨지만 사람들은 좀체 믿지 않았습니다. 믿지 않을 만한 증거가 있어서가 아닙니다. 그들이 믿지 않는 이유는 단순합니다. 그냥 믿기 싫고, 받아들이기 싫기 때문입니다. 처음부터 덮어놓고 믿지 않기로 작정한 것입니다.

이런 자세를 가리켜 불신앙이라고 합니다. 본인이 믿기를 거부하면, 옆에서 누가 아무리 사실을 말하고 증거를 제시해도 믿지 않습니다. 믿으려는 마음이 없으면, 기적을 보여 줘도 믿지 않습니다. 부정적인 생각으로 가득 차 있어서 진리가 들어갈 틈이 없습니다. 하나님의 진리를 거부하고 비판하는 태도는 삶을 어둡게 만들고, 불행하게 만들어 결국 파멸로 이끌어 갑니다.

사람의 사고에는 고정된 틀이 있습니다. 저마다 생각하는 방식이 있다는 뜻입니다. 하나님을 도무지 믿지 않으려는 불신앙이 마음에 자리 잡고 있는 한 미래의 희망은 없습니다. 하나님의 존재 여부와 상관없이 무조건 믿지 않으려는 사고의 틀을 깨뜨려야 합니다. 그 틀을 깨뜨리고, 사고의 한계를 벗어나야만 새로운 세계, 즉 하나님 나라를 볼 수 있습니다.

> 내가 내 아버지의 이름으로 행하는 일들이 나를 증거한다. 그런데 너희가 믿지 않는 것은 내 양이 아니기 때문이다(요 10:25b-26).

예수님은 수많은 기적을 통해 자신이 하나님의 아들임을 증명해 보이셨습니다. 그런데도 사람들은 그것을 믿지 않았습니다. 믿기지 않은 게 아니라 믿지 않은 것입니다. 마음속에 자리 잡은 불신앙으로 말미암아 진리를 무조건 거부한 것입니다. 불신앙의 틀 때문에 스스로 은혜를 차단하고, 하나님 나라로 이르는 길을 막아 버린 것입니다.

사람들이 진리를 받아들이지 않는 두 번째 이유는 소속이 다르기 때문입니다. 예수님은 "너희가 믿지 않는 것은 내 양이 아니기 때문"(요 10:26)이라고 말씀하십니다. 양들은 목자의 음성을 듣고 따라가지만, 자기 목자가 아니면 따라가지 않는 습성이 있습니다. 그리스도인은 참 목자이신 예수님의 음성을 듣고 따르는 주님의 양들입니다.

> 내 양들은 내 음성을 알아듣는다. 나는 내 양들을 알고 내 양들은 나를 따른다(요 10:27).

자기 양들을 아는 목자가 그 이름을 하나하나 부르면, 목자의 음성을 아는 양들이 목자를 따릅니다. 양이 목자를 따르지 않는 것은 그 목자의 음성을 모르기 때문입니다. "내 양이 아니어서 나를 믿지 않는다"는 예수님의 말씀은 중요한 영적 속성을 보여 줍니다. 목자와 양들의 관계가 곧 예수님과 우리의 관계라면, 말 그대로 축복이 됩니다.

나는 그들에게 영생을 준다. 그들은 영원히 멸망하지 않을 것이며
어느 누구도 내 손에서 그들을 빼앗을 수 없다(요 10:28).

세상에 복을 바라지 않는 사람은 없습니다. 모든 사람이 축복을
원합니다. 누구나 자기 가정이 행복하고, 자기 자녀들이 건강하게
자라서 사회에서 성공하기를 바랍니다. 그러나 이런 축복은 일시
적인 것들에 지나지 않습니다. 진정한 축복은 영원합니다.

영생의 축복을 스스로 내버리는 사람들

예수님이 우리에게 주시는 가장 큰 축복은 '영생'입니다. 구원받
는다는 것은 영생을 얻는다는 뜻입니다. 땅에서만 구원받는 게 아
니라 죽은 후에도 영원까지 다시 사는 축복을 누리는 것입니다. 영
생보다 가치 있고 더 큰 축복은 없습니다. 지상에서 얻을 수 있는
가장 위대한 축복은 바로 영생입니다.

인간은 한 번 죽으면 끝이고, 육신이 썩어 없어지듯이 영혼도 사
라질 것이라는 생각은 아주 잘못된 것입니다. 동물은 영혼이 없으
므로 죽으면 그것으로 끝입니다. 하나님의 형상으로 지어진 존재
에게만 영혼이 있기 때문입니다. 사람은 하나님의 형상을 닮은 인
격체이므로 영생의 축복을 받을 자격이 있습니다. 예수님은 우리
에게 영생을 주겠다고 약속하십니다.

영생이란 무엇일까요? 영생이란 땅에서 시작하여 하늘나라에서 영원으로 이어지는 생명을 말합니다. 이것을 두 가지로 설명할 수 있습니다.

하나, 영생은 영원히 멸망하지 않는 생명입니다. 모든 것에는 끝이 있지만, 영생에는 끝이 없습니다. 모든 것에는 부족함이 있지만, 영생에는 부족함이 없습니다. 모든 것에는 죽음이 있지만, 영생에는 죽음이 없습니다. 만물 가운데 죽음이 없는 존재는 주님께 영생을 얻은 사람들뿐입니다. 감사하게도 하나님은 모든 사람에게 영생의 복을 주겠다고 말씀하십니다.

둘, 영생은 절대로 빼앗기지 않습니다. 만약 영생이 인간의 손에 달려 있다면, 죽음에게 빼앗기고 말 것입니다. 그러나 영생은 하나님께 속한 것이므로 누구도 그것을 빼앗을 수 없습니다. 그러므로 우리가 받은 영생을 빼앗길 일이 없습니다.

영생은 귀한 축복입니다. 언젠가 우리는 모든 것을 내려놓고 세상을 떠나야 합니다. 하지만 영생만큼은 빼앗기지 않습니다. 우리는 죽어도 다시 살아날 것입니다. 우리에게 죽음은 끝이 아니라 영원을 여는 열쇠입니다. 그리스도인은 실패나 죽음을 무서워할 필요가 없습니다.

그들을 내게 주신 내 아버지는 모든 것보다 더 크신 분이다. 어느 누구도 그들을 내 아버지의 손에서 빼앗을 수 없다. 나와 내 아버지는 하나다(요 10:29-30).

예수님의 선언을 듣고 소스라치게 놀란 유대 사람들이 예수님을 증오하기 시작합니다.

이때 유대 사람들이 다시 돌을 집어 들어 예수께 던지려고 했습니다. 그러자 예수께서 그들에게 말씀하셨습니다. "내가 아버지께로부터 받은 선한 일들을 너희에게 많이 보여 주지 않았느냐? 그런데 너희가 그중 어떤 일로 내게 돌을 던지려는 것이냐?"(요 10:31-32).

사람들이 돌을 집어 들어 예수님에게 던지려고 하는 이유는 그들 마음속에 미움과 분노와 불신앙이 있기 때문입니다. 그들은 고집스럽고, 그들 생각은 불합리하며 억지스럽습니다.

이것은 2,000년 전 유대 사람들뿐 아니라 현대인에게서도 볼 수 있는 모습입니다. 지금도 사람들은 같은 이유로 예수님을 믿지 않고 거부합니다. 교회 밖의 사람들은 하나님을 알고, 예수님의 복음을 잘 알면서도 믿지 않는 것이 아닙니다. 그들은 자기 안에 있는 상처와 분노와 미움과 불신앙으로 말미암아 하나님을 거부합니다. 세상 사람들이 진리를 받아들이지 않는 이유가 바로 이것입니다.

또한 하나님에 관한 편견 때문에 예수님을 믿지 않습니다.

유대 사람들이 대답했습니다. "우리가 당신을 돌로 치려는 것은 선한 일을 했기 때문이 아니라 하나님을 모독했기 때문이오. 당신은 사람이면서 자신을 하나님이라고 했소"(요 10:33).

유대 사람들은 그들이 누구보다도 하나님을 가장 잘 믿는다고 생각했습니다. 하지만 그들은 하나님에 대한 편견으로 가득 차 있었습니다. 그들은 자기 방식대로 하나님을 믿으며 자신들의 기준에 맞지 않으면 모두 틀린 것으로 간주했습니다. 그러나 사람의 방식으로 믿는 것은 성경적인 믿음이 아닙니다. 그들은 개인의 취향이나 습관대로 하나님을 길들이고자 하는 것뿐입니다.

그러므로 그들의 믿음은 가짜입니다. 사람이 임의로 만들어 내는 하나님은 가짜입니다. 유대 사람들은 자신의 구미에 맞는 하나님을 만들어 놓고, 서로 믿음을 강요한 셈입니다. 그러나 하나님은 말씀 가운데 계십니다.

유대 사람들이 벌인 논쟁의 쟁점은 예수님의 신성에 관한 것이었습니다. "예수님은 인간인가? 아니면 하나님인가?" 이것이 문제입니다. 예수님이 하나님을 아버지라고 부르자 유대 사람들은 분개하지만, 예수님과 하나님의 관계야말로 구원의 열쇠입니다.

기독교의 핵심 진리는 예수님이 곧 하나님이시라는 것입니다. 만약 예수님이 인간이시라면, "인간은 인간을 구원할 수 없다"는 명제에 부딪히게 됩니다. 세상에 많은 종교가 있지만, 인간이 창시

한 종교에는 구원자가 있을 수 없습니다. 인간 이상의 존재여야만 인간을 구원할 수 있습니다. 구원은 하나님만이 베푸실 수 있습니다. 인간은 신(神)이 될 수 없습니다. 그러나 하나님은 얼마든지 인간이 되실 수 있습니다. 전능하신 분이기 때문입니다. 결론적으로 인간을 구원할 존재는 사람으로 오신 하나님이어야만 하는데, 곧 예수 그리스도이십니다.

그리스도인은 성인(聖人) 예수님이 아닌 구원을 베푸시는 하나님의 아들, 예수 그리스도를 믿습니다. 예수 그리스도께서 우리에게 영생의 축복을 베풀어 주십니다. 하나님이 주시는 영생은 누구도 빼앗을 수 없습니다.

예수께서 그들에게 대답하셨습니다. "너희 율법에 '내가 너희를 신들이라고 했다' 하는 말이 기록돼 있지 않느냐? 하나님의 말씀을 받은 사람들을 하나님께서 '신들'이라고 하셨다. 성경은 폐기할 수 없다. 그런데 아버지께서 거룩하게 하셔서 세상에 보내신 그가 자기를 하나님의 아들이라고 말한다고 해서 너희는 그가 하나님을 모독한다고 말하느냐? 내가 내 아버지의 일을 하지 않거든 나를 믿지 말라. 그러나 내가 아버지의 일을 하거든 비록 너희가 나를 믿지는 않더라도 그 일들은 믿어라. 그러면 아버지가 내 안에 계시고 내가 아버지 안에 있다는 것을 깨달아 알게 될 것이다." 유대 사람들은 또다시 예수를 잡으려고 했으나 예수께서는 그들의 손에서 벗어나서 피하셨습니다(요 10:34-39).

예수님이 시편 말씀을 인용해 말씀하십니다. "구약에서 하나님의 말씀을 받은 자를 신이라 하지 않더냐? 하나님의 말씀만 받아도 신이 되는데, 내가 하나님의 아들이라고 말하는 것을 왜 믿지 못하느냐? 내 말을 믿지 못하겠거든 내가 행한 일들을 믿으라. 너희가 그것을 확실히 목격하지 않았느냐?"라고 물으십니다.

그런데 예수님의 말씀을 들은 사람들이 더욱 분을 내며 예수님을 잡으려고 합니다. 자기가 만든 가짜 하나님을 믿으니 진짜 하나님의 아들을 알아보지 못하는 것입니다.

과거가 아닌 현재가 미래를 만든다

마음속에 있는 불신앙이나 분노나 미움은 억제해도 없어지지 않습니다. 잠시 수면 밑으로 가라앉는 것에 불과합니다. 뿌리째 뽑아 버려야 비로소 없어집니다. 임시방편으로 대충 처리하면 언젠가는 다시 살아납니다.

불신앙과 분노와 미움을 뿌리째 없애 버려야 거듭납니다. 거듭난다는 것은 옛사람을 뿌리째 뽑는다는 뜻입니다. 뿌리를 그대로 내버려둔 채로 줄기만 끊어 봤자 소용없습니다. 악한 줄기가 다시 돋아나서 평생 괴롭힐 것입니다.

신앙생활 자세를 보면 그 사람의 성격을 알 수 있습니다. 그런데 예수님을 믿으면 성격마저 변화됩니다. 긍정적으로 생각하고, 다른 사람들을 축복하며 이웃을 격려하는 성품으로 변합니다. 이것이 바로 예수님을 믿는 사람이 받는 특별한 축복입니다.

과거가 미래를 만드는 것이 아닙니다. 우리에게는 하나님이 예비하신 복된 미래가 있습니다. 미래로 가 본 사람은 아무도 없습니다. 미래는 누구에게나 미지의 세계입니다. 그러므로 자신의 미래를 스스로 막지 말아야 합니다. 미래는 무한히 열려 있는 축복의 세계이며, 그곳에 하나님이 계십니다. 우리는 미래를 염두에 두고 살아야 합니다. 사는 동안에 늘 긍정적으로 생각하고, 항상 희망에 차 있어야 합니다. 하나님이 주신 놀랍고도 아름다운 복을 충분히 누려야 합니다.

예수님을 믿으면 긍정적인 성격으로 변화됩니다. 미래를 희망적으로 바라보고, 영원한 세계를 꿈꾸게 됩니다. 그러한 믿음이 우리 안에 있을 때, 가정과 교회와 사회와 민족이 변화됩니다.

그러니 지금 어려운 상황에 있더라도 미래의 희망을 절대로 잃지 마십시오. 그러면 하나님이 모든 것 위에 복을 더해 주실 것입니다.

그리스도인은 성인(聖人) 예수님이 아닌 구원을 베푸시는 하나님의 아들, 예수 그리스도를 믿습니다. 예수 그리스도께서 우리에게 영생의 축복을 베풀어 주십니다. 하나님이 주시는 영생은 누구도 빼앗을 수 없습니다.

3부

그 사랑, 나를 다시 살리시네

요한복음 11:1-57

믿음이란 "예수님은 그리스도요 메시아이시며
세상에 오신 하나님의 아들"이심을 믿는 것입니다.
그리스도인은 이 사실을 마음으로 믿고 고백해야 합니다.
그리고 예수님의 말씀에 의지하여 '아는 믿음'에서
'결단하는 믿음'으로 나아가야 합니다.
결단하며 나아가면 하나님의 기적을 경험할 수 있습니다.

8

내 고통과 슬픔이
보이십니까?

요한복음 11:1-4

사랑하는 이의 고통 앞에서 기도하다

누구에게나 절대로 포기하지 못할 만큼 극진히 사랑하는 대상이 한 사람쯤 있기 마련입니다. 살아도 같이 살고, 죽어도 같이 죽고 싶은 그런 사람 말입니다. 아마도 부모에게는 자식이 그런 존재가 아닐까 싶습니다. 사랑하는 사람이 병들어 죽게 되었을 때만큼 괴로운 때가 또 있을까요? 차라리 내가 대신 아프면 좋겠다는 생각을 하게 될 것입니다.

성경에서 이와 관련된 장면을 찾아볼 수 있습니다. 병들어 죽게 된 오빠를 바라보는 자매의 마음이 바로 그랬습니다.

> 나사로라고 하는 사람이 병이 들었는데 그는 마리아와 그의 자매 마르다의 마을 베다니에 살고 있었습니다(요 11:1).

베다니에 사는 나사로 남매의 이야기입니다. 나사로는 3일 후에 정말로 죽게 됩니다. 사랑하는 오빠가 병들어 죽어 가는 모습을 지켜볼 수밖에 없는 마리아와 마르다의 마음이 어땠겠습니까? 자매는 오빠를 위해서 대신 죽을 수 있을 정도로 간절했습니다. 이들의 이야기를 살펴보겠습니다.

이 마리아는 예수께 향유를 붓고 자기 머리털로 예수의 발을 닦아 드린 여인인데 그 오빠 나사로가 병이 든 것입니다(요 11:2).

남매는 베다니 마을에서 유명인이었습니다. 게다가 "예수께서는 마르다와 그녀의 자매와 나사로를 사랑"(요 11:5)하셨다는 기록이 있는 것으로 보아 예수님과는 개인적인 친분이 있었던 것 같습니다.

그런데 성경은 자매 중에서 마리아에 관한 이야기를 먼저 들려줍니다(2절). 왜 그럴까요? 마리아와 마르다는 모두 예수님을 사랑했습니다. 그러나 마르다는 물질적인 것으로 사랑했습니다. 평소에 예수님이 집에 오시면 대접할 음식을 준비하느라 바빴습니다. 반면에 마리아는 자신이 가장 아끼는 것으로 예수님을 섬기곤 했습니다. 한번은 옥합을 깨뜨려 귀한 향유를 예수님께 붓고, 자기 머리털로 발을 닦아 드리기도 했습니다.

어떻게 보면 사랑은 '거룩한 낭비'인지도 모릅니다. 흔히 꽃을 선물함으로써 사랑의 마음을 표현하듯이 마리아는 귀한 향유를 가져다가 예수님께 부어 드리고, 머리채를 드리워 발을 닦아 드렸습니다. 여자들이 자기 신체에서 가장 소중히 여기는 부분 중의 하나가 바로 머리칼입니다.

당시 주위에 있던 많은 사람이 마리아의 행동을 보고 비난했습니다. 그러나 예수님은 "이 여인은 내 장례 날을 위해 간직해 둔 향유를 쓴 것"(요 12:7)이라며 그대로 두라고 말씀하십니다. 마리아의 믿음을 칭찬해 주신 것입니다.

사랑의 선물은 물질적인 것보다 정신적이고 영적인 것이 기억에 오래 남습니다. 마르다는 예수님을 향한 사랑을 물질적인 것으로 표현하지만, 마리아는 영적인 자세로 표현합니다.

그래서 두 자매는 사람을 예수께 보내어 말했습니다. "주여, 주께서 사랑하시는 사람이 병들었습니다(요 11:3).

자매는 오빠가 병들어 죽게 되자 예수님께 사람을 보내 안타까운 소식을 전합니다. 예수님만이 오빠 나사로를 살리실 수 있다고 믿기 때문입니다.

그런데 성경을 보면, 병들어 죽게 된 나사로와 예수님의 대화는 보이지 않고, 마리아와 마르다가 예수님과 나누는 대화만 볼 수 있습니다. 이것이 중보 기도입니다.

그 사람 대신 내가 감옥에 가겠다거나 그 사람 대신 내가 죽겠다는 심정으로 간절히 구하는 것입니다. 예수님은 온 인류를 구원하기 위해 자기 생명을 내놓으셨고, 지금도 우리를 위해 중보 기도하고 계십니다. 이처럼 생명을 걸고 간구하는 것이 바로 진정한 중보 기도입니다.

사랑하시는 분에게 호소하다

두 자매가 예수님에게 오빠 나사로의 안타까운 소식을 전하는 장면에서 두 가지가 눈에 띕니다. 하나는 왜 자매는 예수님을 직접 찾아가지 않고, 사람을 보내서 소식을 전했을까 하는 의문입니다. 예수님에게 달려가기에는 자존심이 상해서일까요? 아니면 별로 중요한 일이 아니어서였을까요? 둘 다 아닙니다.

가버나움에서 한 백부장이 예수님을 찾아와 도움을 요청한 적이 있습니다. 아끼는 종이 중풍에 걸려 몹시 괴로워한다면서 고쳐 주시기를 간청했습니다. 그러면서도 "그저 말씀만 하십시오. 그러면 제 하인이 나을 것입니다"(눅 7:7)라고 고백했습니다. 예수님은 백부장의 말을 듣고 그 믿음에 놀라셨습니다. 대부분 예수님이 직접 오셔서 기도하고 안수해 주셔야 안심할 텐데, 백부장은 예수님의 능력을 온전히 믿었던 것입니다.

마리아와 마르다 자매에게도 백부장과 같은 믿음이 있었습니다. 믿음은 지극히 내면적인 것이라 겉으로는 보이지 않습니다. 그러나 진심으로 간구할 때 믿음이 드러납니다. 두 자매는 예수님이 직접 오시지 않아도 병을 낫게 하실 수 있는 분이라고 믿었던 것입니다. 그들은 "예수님을 눈으로 보지 않고, 손으로 만지지 않아도 상관없습니다. 주님은 죽어 가는 우리 오빠를 살리실 수 있습니다"라고 무언으로 고백하고 있습니다.

우리가 하나님을 믿는 까닭은 대가를 바라서가 아니라 하나님을 사랑하고 신뢰하기 때문입니다. 사랑은 감동을 주고, 기적을 일 으킵니다.

다른 하나는 자매가 예수님에게 보낸 메시지가 매우 간단하다 는 사실입니다. 그들은 "주여, 주께서 사랑하시는 사람이 병들었 습니다"(요 11:3)라고만 말합니다.

나는 이 구절에서 자매의 내면에 있는 엄청난 믿음을 발견합니 다. 그들은 예수님께 전할 편지를 쓰며 눈물을 흘렸을 것입니다. 예수님을 만나서 말할 때보다 더욱 간절하고 애틋한 심정으로 편 지를 썼을 것입니다.

자매의 짧은 글에서 네 가지 특징을 찾아볼 수 있습니다. 첫째, 예수님께 대한 섭섭함이나 원망이 보이지 않습니다. 사랑하는 오 빠가 병들어 죽게 되었는데, 예수님은 어디에서 무얼 하고 계시느 냐고 원망할 수도 있을 것입니다. 그러나 그들은 아무런 원망도 하 지 않습니다. 이것이 진정한 기도입니다.

둘째, 협박성이 없습니다. 너무 간절하거나 마음이 급하면, 사람 들은 흔히 상대방에게 부담감을 주려는 의도에서 협박성 발언을 하곤 합니다. 때로는 사랑도 협박이 될 수 있습니다.

셋째, 병들어 죽게 된 오빠를 낫게 해 달라는 말이 없습니다. 예 수님에게 병 고침을 강요하지 않은 것입니다.

넷째, 속히 방문해 달라는 부탁이 없습니다. 즉 예수님을 좌지우 지하지 않겠다는 뜻입니다. 방문하고 말고는 예수님의 권한이시니 주제넘게 월권하지 않겠다는 것입니다.

결론적으로, "주님이 사랑하시는 사람이 병들었다"는 말은 요구가 아니라 사랑의 호소인 것입니다. 병들어 죽게 된 오빠를 살리고 싶은 간절한 마음이 담겨 있습니다. 그 믿음과 사랑 덕분에 죽은 나사로가 다시 살아나는 기적을 볼 수 있었습니다.

하나님께 "이렇게 해 주세요, 저렇게 해 주세요" 하는 주문에는 기도의 능력이 없습니다. 주님의 권위와 능력을 신뢰하고 모든 것을 내어 맡길 때, 기도의 능력이 발휘됩니다. 기도를 기도답게 하는 것은 보이지 않고 만져지지도 않는 주님의 능력을 온전히 신뢰하는 믿음입니다. 주님의 주권과 능력과 지혜를 넘어서지 않고, 사실을 있는 그대로 아뢰면서 간절한 소망을 바치는 것이 성숙하고 깊은 기도입니다.

마리아와 마르다의 짧은 기도는 "주여" 하고 주님을 부르는 것으로 시작합니다. 요즘에 나는 "주여"라는 이 말이 참 좋습니다. 예수님을 "주여" 하고 부를 수 있는 것은 큰 축복입니다. 주님의 신성과 자기의 믿음을 고백하는 것이기 때문입니다. 우리 입술이 늘 "주여" 하고 주님을 부를 수 있기를 축원합니다.

개역개정판 성경은 "주여" 다음에 "보시옵소서"라는 사랑하시는 자가 병들었나이다"라고 번역했는데, "보시옵소서"라는 말에는 간절한 소망이 담겨 있습니다.

자매는 오빠 나사로를 "사랑하는 사람"으로 부르지 않고, "(주님이) 사랑하시는 사람"으로 부릅니다. 우리는 "내가 주님을 얼마나 사랑하는데…", "내가 교회를 얼마나 열심히 다니는데…"라는 말을 흔히 합니다. 사랑의 주체가 자기 자신입니다. 이런 말에는 하나님을 향한 섭섭한 감정이 담겨 있습니다.

그러나 자매는 자기 자신을 사랑의 주체로 보지 않고, 예수님을 사랑의 주체로 고백하고 있습니다. 예수님이 사랑하시는 나사로가 병들었다고 호소하는 것입니다.

하나님은 독생자 예수 그리스도를 세상에 보내실 만큼 우리를 사랑하십니다. 또 예수님은 자기 목숨을 내어 놓기까지 우리를 사랑하시되 "끝까지"(요 13:1) 사랑하십니다. 세월이 흘러 만물이 변하고 쇠해도 예수님은 우리를 변함없이 사랑하신다는 뜻입니다. 심지어 우리가 어떤 잘못을 저지르더라도 다 용서하시고 사랑하십니다. 예수님의 사랑 안에 용서가 있습니다.

마리아와 마르다의 편지는 "사랑하시는 사람이 병들었습니다"라는 말로 마무리됩니다. 여기서 "병들었다"는 말은 "죽게 될 정도로 쇠약해졌다"는 뜻입니다. 우리는 하나님의 긍휼을 바라며 하나님의 사랑과 은혜에 희망을 걸 수밖에 없는 존재입니다.

완전하고 진실한 사랑에 소망을 두다

자매가 전하는 소식을 들으신 예수님이 뜻밖의 말씀을 하십니다.

예수께서는 이 말을 듣고 말씀하셨습니다. "이 병은 죽을병이 아니다. 이것은 하나님의 영광을 위한 것이요, 이 일을 통해 하나님의 아들이 영광을 받게 될 것이다"(요 11:4).

태어날 때부터 눈먼 사람의 이야기가 떠오릅니다. 그가 자기나 부모의 죄 때문에 눈먼 채로 태어난 것이 아니었듯이 우리가 받는 고난도 우리 죄나 조상 죄 때문이 아닙니다. 하나님의 영광을 나타내기 위해서 받는 고난도 있는 것입니다. 예수님은 나사로의 병이 "죽을병"은 아니며, 오히려 하나님께 영광을 돌리기 위해 병에 걸린 것이라고 말씀하십니다.

그러나 나사로는 죽고 맙니다. 하지만 예수님이 무덤에 누운 그를 다시 살려 내실 것입니다. 그러니 죽음을 두려워하지 마십시오. 믿는 사람은 죽어도 다시 살아납니다. 사람은 죽음으로 모든 것이 끝난다고 생각하지만, 하나님은 끝이 아니라고 말씀하십니다. 죽음은 자연의 이치에 앞서 하나님의 섭리를 따르기 때문입니다.

인생의 실패를 맛보고 있더라도 좌절하지 마십시오. 실패는 저주가 아니기 때문입니다. 우리는 다시 일어설 것입니다. 위대한 작품은 옥에 갇혔을 때 쓰인 경우가 많습니다. 그리스도인에게 고난은 비극이 아닌 축복입니다. 순교가 아름다운 이유가 그것입니다.

나는 몇십 년에 걸쳐 병치레를 해왔습니다. 이제 와 돌이켜보니 그것이 얼마나 큰 축복인지 모르겠습니다. 내 병은 죽을병이 아니라 주님의 몸 된 교회를 위한 축복임을 깨닫습니다. 질병으로 말미암아 비전을 갖게 되었고, 하늘을 바라보게 되었으며 인간적인 평안과 안락을 덧없이 여기게 되었습니다. 병중에 있는 나를 이끌어 주시는 하나님께 영광을 돌립니다.

'예수님이 나사로가 죽을 것을 미리 아셨다면, 조금만 더 빨리 가서 그를 고쳐 주실 수도 있었을 텐데…'라고 생각할 수 있습니다. 그러나 예수님은 바로 움직이지 않으셨습니다. 도리어 나사로가 죽을 때까지 기다리셨습니다. 마리아와 마르다가 생각한 최선의 응답은 어서 오셔서 나사로의 병을 고쳐 주시는 것이었지만, 예수님의 응답은 그와 달랐습니다. 나사로를 죽음에서 일으켜 하나님의 영광을 드러내는 것이 예수님의 뜻이기 때문입니다.

우리 삶은 죽음으로 끝나지 않습니다. 하나님이 끝내셔야 비로소 끝난다고 할 수 있습니다. 죽어도 다시 살 것을 믿는 것이 믿음입니다. 살면서 여러 가지 일로 실망하고 좌절할 때 "할렐루야, 아멘!"을 외쳐 보십시오. 하나님이 함께해 주실 것입니다. 우리 고난으로 말미암아 하나님이 영광을 받으실 것을 믿으십시오.

고난을 축복의 도구로 삼으십시오. 외부에서 밀려드는 핍박을 두려워하지 마십시오. 그것은 우리를 더욱 겸손하고 진실하며 의롭게 만드는 도구일 뿐입니다. 인간은 어리석게도 예수님의 사랑에 소망이 있음을 모릅니다. 누군가를 사랑하면서도 실수를 저지르고, 변덕을 부리는 것이 인간입니다. 그래서 인간의 사랑은 불완

전하고 진실하지 못합니다.

그러나 우리를 향한 하나님의 사랑은 완전하며 진실합니다. 여기에 우리 소망이 있습니다.

9

이미 끝난 것
같습니다

요한복음 11:5-16

하나님이 보이지 않는 막다른 길에 섰을지라도

수학에는 공식이 있고 자연에는 법칙이 있습니다. 우리가 그 공식이나 법칙을 모두 알 수는 없지만 어떤 문제든지 수학 공식이나 자연법칙을 암기해 그대로 적용하면 해답을 얻을 수 있습니다. 그러나 신앙생활을 하다 보면 공식이나 법칙에 맞지 않을 때가 많습니다. 실제로는 원칙에 맞지 않은 게 아니라 맞지 않은 것처럼 느껴질 뿐인데도 말입니다.

그럴 때 우리는 어쩔 줄 몰라 하면서 시험에 들기도 하고 절망에 빠지기도 합니다. 심지어 하나님을 원망하기도 합니다.

하나님은 "내게 부르짖어라. 그러면 내가 네게 대답하겠고 네가 알지 못하는 크고 비밀스러운 일들을 네게 알려 줄 것이다"(렘 33:3)라고 말씀하십니다. 우리는 하나님 말씀에 따라 금식하고 부르짖었지만, 응답을 얻지 못하고 상황이 더욱 나빠질 때 혼돈에 빠지게 됩니다.

또 성경은 "구하라. 그러면 너희에게 주실 것이다. 찾으라. 그러면 너희가 찾을 것이다. 문을 두드리라. 그러면 너희에게 문이 열릴 것이다"(마 7:7)라고 말합니다.

하지만 구하고 찾으며 두드려도 문이 열리지 않고 일이 계속 꼬이며 상황이 점점 더 악화될 때가 있습니다. 그러면 우리는 마음속에 '성경의 그 말씀은 정말 맞는 것일까? 하나님은 살아 계시는 걸까? 하나님은 내 기도를 들으시는 걸까?'라는 의문을 품게 됩니다.

이런 문제로 심각하게 고민했던 사람이 바로 구약의 요셉입니다. 그는 하나님 앞에서 항상 최선을 다했고 어떤 상황에서도 그분을 신뢰했습니다. 그러나 그의 최선은 언제나 최악의 결과를 낳았습니다. 요셉은 아버지를 사랑하고 형들을 사랑했습니다. 그런데 아버지의 말씀에 순종해 형들의 도시락을 들고 찾아갔다가 그들한테 미움을 사서 깊은 구덩이에 던져지고 결국 이방 나라인 이집트로 팔려 가는 신세가 되고 말았습니다.

그러나 요셉은 절망하지 않았고 이집트의 시위대장 보디발의 집에 들어가 가정 총무로서 최선을 다했습니다. 하지만 보디발의 아내가 젊은 요셉을 유혹하는 바람에 또다시 어려움에 처하게 되었습니다. 정직한 요셉은 여주인의 유혹을 뿌리쳤지만, 오히려 누명을 뒤집어쓰고 감옥에 갇혔습니다. 요셉은 기약도 없이 오랫동안 억울한 옥살이를 하면서 '왜 내가 이곳에 들어와 있나'라고 생각했을 것입니다. 그러나 그는 하나님은 살아 계시고 정직과 진실은 언젠가 통한다는 진리를 믿었습니다.

요셉과 비교해 조금도 손색이 없는 사람이 아마 다니엘일 것입니다. 그는 바벨론의 느부갓네살왕 시대에 권력의 핵심에 있었습니다. 다니엘은 하나님을 섬긴다는 이유로 모든 특권과 신뢰를 잃고 사자 굴에 던져지고, 그 친구들은 불구덩이에 던져졌습니다.

이렇듯 믿음의 원칙이 상식적으로 들어맞지 않을 때, 하나님은 보이지 않게 되고 믿음은 걷잡을 수 없이 무너지고 맙니다. "당신은 하나님을 믿는다면서 열심히 기도하는데, 왜 모든 일이 원칙대로 되지 않는 거요?"라는 비아냥거림 속에 고독이 엄습해 옴을 느끼게 됩니다.

그러나 요셉은 하나님을 볼 수 없었지만 원망하지 않고 끝까지 신뢰했습니다. 다니엘은 죽음 앞에서 하나님이 도와주시지 않을지라도 여호와를 믿는다고 고백했습니다. 그 결과 요셉은 30세에 이집트의 총리대신이 되어 나라를 치리했고, 다니엘은 바벨론 왕국에서 외국인으로서 서열 3위까지 오르는 축복을 받았습니다. 결국, 믿음의 원칙은 무너지는 것이 아니라 무너지는 것처럼 보일 뿐입니다.

하나님은 우리 기도에 반드시 응답해 주십니다. 하나님을 의심하지 않고 끝까지 신뢰하는 믿음이 있다면, 얼마든지 세상을 변화시킬 수 있습니다.

본문 말씀에서 그런 믿음을 볼 수 있습니다. 예수님은 마르다와 마리아와 나사로를 너무나도 사랑하셨습니다.

하나님이 지체하시는 데는 이유가 있다

예수님은 나사로의 가족과 매우 친하셨습니다. 모든 사람을 사랑하셨지만, 특별히 나사로의 가족과는 개인적인 친분이 있으셨습니다.

> 예수께서는 마르다와 그녀의 자매와 나사로를 사랑하셨습니다. 그러나 나사로가 아프다는 말을 들으시고도 예수께서는 계시던 곳에 이틀이나 더 머무르셨습니다(요 11:5-6).

나사로를 사랑하시는 예수님은 그가 병들어 죽게 되었다는 소식을 듣고도 곧바로 베다니로 향하지 않으시고, 계시던 곳에서 이틀이나 더 머무르십니다. 과연 이것이 예수님의 사랑이고, 우리를 돌보시는 방법일까요? 대체 예수님의 사랑이 어떤 것인지 선뜻 이해되지 않습니다.

우리의 의아함은 세 가지 이유에서 비롯되었습니다.

첫째, 시간표 때문입니다. 예수님이 생각하시는 시간과 마리아와 마르다와 나사로가 생각한 시간이 다릅니다. 우리는 주님이 당장 오시기를 바랍니다. 그리고 기도가 속히 응답되기를 소망합니다. '내 시간표'에 따라서 말입니다.

시간에는 하나님의 시간과 인간의 시간이 있습니다. 인간은 모든 것에 대해 항상 '내 때'를 중심으로 생각합니다. 하나님마저도 내 시간에 맞춰 응답해 주시기를 원합니다. 지금 상황이 급하니까 하나님이 당장 오셔서 이런저런 방법으로 해결해 달라는 것입니다. 다행히 하나님의 시간과 나의 시간이 일치한다면, 별문제가 없습니다. 그러나 하나님의 시간과 방법은 우리의 것과 다릅니다. 그럴 때 사람들은 혼란에 빠지기 마련입니다.

가나의 혼인 잔치에서 포도주가 떨어졌습니다. 어머니인 마리아가 예수님께 "포도주가 다 떨어졌구나"라고 말했습니다. 그러자 예수님은 "그것이 나와 당신에게 무슨 관계가 있다고 그러십니까? 아직 내 때가 이르지 않았습니다"라고 대답하셨습니다. 하나님의 때와 인간의 때는 다른 것입니다. 하나님은 하나님의 때에 맞춰 활동하십니다. 예수님은 늦게 오시는 법도, 일찍 오시는 법도 없이 언제나 정확하게 움직이십니다.

지금 우리 기도에 대한 응답이 이뤄지지 않는 이유는 아직도 하나님과 해결해야 할 문제가 남아 있다는 뜻입니다. 하나님은 인간과의 문제를 덮어 둔 채 역사하지 않으십니다. 그것은 축복이 아니기 때문입니다.

우리는 '때'를 알아야 합니다. 모든 일이 신앙의 원칙에 맞아떨어지지 않을 때, 하나님의 시간과 인간의 시간이 다르다는 것을 기억해야 합니다.

둘째, '기다림' 때문입니다. "왜 하나님은 우리가 생각하는 때에 오시지 않는가?"라는 질문에 중요한 영적 원리가 들어 있습니다.

그것은 기다림이라는 비밀을 가르쳐 주시기 위함입니다. 기다림은 다른 말로 '인내'입니다. 믿음은 곧 인내입니다. 기다릴 줄 모르는 사람은 믿음이 없는 것입니다. 정말로 하나님과 그분의 말씀을 믿는다면, 지금 외양간에 소도 없고 포도나무에 열매도 없으며 밭에 소출이 없더라도 기다려야 합니다. 기다림을 통과하지 않은 믿음은 가짜입니다.

믿음도 사랑도 인내입니다. 정말로 사랑한다면 기다릴 줄 알아야 합니다. 가장 위대한 멘토는 기다릴 줄 아는 사람입니다. 제자가 마음에 들지 않더라도 오래 참고 기다려야 합니다. 부모는 자녀가 마음에 들지 않아도 사랑하기 때문에 마냥 기다려 줍니다. 희망이란 아직 오지 않은 것을 기다리는 일입니다.

신앙생활에서 기도 응답만큼이나 중요한 축복이 기다림입니다. 그러나 많은 사람이 기도 응답이 없다면서 조급해하고 믿음을 버리고 사랑을 깨뜨리고 희망의 문을 닫아 버립니다. 곧 기다림을 포기하는 것입니다. 성경에 보면 "내 형제들이여, 여러 가지 시험을 만나거든 온전히 기쁘게 여기십시오. 여러분이 알다시피 여러분의 믿음의 연단은 인내를 이룹니다. 인내를 온전히 이루십시오. 그러면 여러분이 온전하고 성숙하게 돼 아무것도 부족한 것이 없게 될 것입니다"(약 1:2-4)라고 기록하고 있습니다. 시련과 고통이란 기다림을 뜻합니다. 하나님은 인간을 몇천 년 동안 기다리셨습니다. 예수님은 인간을 만나려고 2,000년을 기다리셨습니다. 기다림은 믿음의 정점입니다.

예수님은 십자가에서 죽음을 맞이하면서 얼마나 고독하셨을까요? 하나님이 시켜서 한 일인데도, 양손에 못이 박히고 창에 허리를 상해 죽게 되었을 때 얼마나 마음이 흔들렸을까요? 이것이 십자가입니다. 성경에 보면 "그러나 여호와께서는 너희에게 은혜 베풀기를 간절히 바라신다. 너희를 불쌍히 여기셔서 도우러 일어나신다. 여호와는 공의의 하나님이시기 때문이다. 복되다. 그를 기다리는 모든 사람들아!"(사 30:18)라고 선언하고 있습니다. 하나님을 믿고 기다리는 사람에게 복이 있습니다. 믿음과 사랑은 기다림이고, 희망은 기다림의 기술입니다.

셋째, 참된 사랑과 구원, 기쁨 때문입니다. 하나님이 우리에게 주시려는 기쁨은 피상적인 것이 아니라 현상적인 것입니다. 하나님이 우리에게 주시는 구원은 일시적인 것이 아니라 영원한 것입니다.

본문 말씀을 잘 살펴보면, 예수님은 나사로가 죽기까지 기다리십니다. 예수님은 병든 나사로를 낫게 하시려는 게 아니라 죽은 나사로를 부활시키시려는 것입니다. 구원과 사랑과 기쁨을 알게 하시려고 나사로가 죽기까지 기다리신 것입니다.

내가 포기해도 하나님은 포기하지 않으신다

예수님은 이틀이나 더 머무신 뒤에야 나사로가 잠든 베다니로 향하십니다.

그러고 나서야 예수께서 제자들에게 "다시 유대 지방으로 돌아가자" 하고 말씀하셨습니다(요 11:7).

그러나 제자들은 예수님의 말씀을 제대로 이해하지 못했습니다.

제자들이 예수께 말했습니다. "랍비여, 얼마 전에 유대 사람들이 선생님을 돌로 치려고 했는데 또다시 그리로 가려고 하십니까?"(요 11:8).

예수님이 그들의 질문에 이렇게 답하시며 영적 교훈을 주십니다.

예수께서 대답하셨습니다. "낮은 12시간이나 되지 않느냐? 낮에 다니는 사람은 이 세상의 빛을 보기 때문에 넘어지지 않는다. 그러나 밤에 다니면 그 사람 안에 빛이 없기 때문에 넘어진다"(요 11:9-10).

예수님은 "지금은 낮이니 일할 때다. 밤이 오면 일을 못한다. 인생에서 일할 날이 그리 많지 않다. 그때는 일하고 싶어도 할 수 없게 된다. 지금 일하라. 낮이고 해가 있을 때 일하라"고 말씀하십니다. 지금은 고민하고 방황할 때가 아니라 일할 때입니다.

이어서 아주 기가 막힌 말씀을 해 주십니다.

> 예수께서 이 말씀을 하신 뒤에 그들에게 말씀하셨습니다. "우리 친구 나사로는 잠이 들었다. 그러나 이제 내가 가서 그를 깨우겠다"(요 11:11).

이틀이나 더 머무르셨으므로 겉보기에는 나사로를 포기하신 것처럼 보이지만, 예수님은 나사로를 잊지 않으셨습니다.

여기서 세 가지 사실을 알 수 있습니다. 첫째, 주님은 우리를 절대 잊지 않으신다는 것입니다. 하나님은 우리 기도를 저버리지 않으십니다. 단지 하나님의 응답이 우리의 시간과 맞지 않은 것뿐입니다. 인간의 모든 것을 아시는 하나님은 인간의 고독과 눈물, 고통 안에서 더욱 괴로워하십니다.

둘째, 우리는 예수님의 친구라는 사실입니다. 예수님은 나사로를 가리켜 '우리 친구'라고 표현하십니다. 예수님이 사람을 얼마나 귀히 여기고 깊이 생각하시는지 알 수 있습니다.

셋째, 예수님은 인간의 죽음을 잠자는 것으로 보신다는 것입니다. 그리스도 안에 있는 사람에게는 죽음이 없습니다. 죽음은 잠시 잠을 자는 것에 불과하기 때문입니다. 잠이 든 것은 다시 깨어날 수 있다는 뜻입니다. 하지만 죽음은 끝을 의미합니다. 죽음에는 희망도 미래도 없고, 생명도 부활도 없습니다. 죽음은 심판입니다.

그러나 똑같이 눈을 감았더라도 잠자는 것과 죽은 것은 전혀 다릅니다. 인간에게 잠은 휴식을 의미합니다. 낮에 일하고 밤에 잠자면 긴장과 피로가 풀립니다. 잠자는 시간은 회복하는 시간입니다. 잠을 잘 자고 나면 아픈 것도 사라지게 됩니다. 그리고 잠에는 깨어남이 있습니다. 잠을 충분히 자고 나면 기분이 상쾌해지고 정신이 맑아집니다. 잠을 잘 잔 사람은 일하고 싶은 의욕이 넘칩니다.

> 예수의 제자들이 대답했습니다. "주여, 잠들었다면 낫게 될 것입니다"(요 11:12).

예수님은 나사로가 병들어 죽은 것을 잠자는 것에 비유하셨는데, 제자들은 여전히 딴소리를 합니다.

> 예수께서는 나사로의 죽음을 가리켜 말씀하신 것인데 제자들은 말 그대로 잠들었다고 생각한 것입니다. 그래서 예수께서는 그들에게 분명히 말씀해 주셨습니다. "나사로는 죽었다"(요 11:13-14).

예수님은 나사로가 죽었다고 분명하게 말씀하십니다. 그동안 병든 사람을 무수히 낫게 해 주셨지만, 이번에는 죽은 자들 가운데서 나사로를 살려 주실 것입니다. 축복의 깊이가 다른 것입니다.

내가 거기 있지 않은 것을 기뻐하는 까닭은 너희를 위해서다. 이 일로 인해 너희가 믿게 될 것이다. 이제 나사로에게로 가자(요 11:15).

이 말씀은 왜 예수님이 나사로의 집에 더디 가시는지, 또 왜 하나님이 우리 기도에 즉시 응답하시지 않는지에 관한 대답입니다.

하나님이 때를 알고 내리시는 복은 불량품이 아니라 특등품입니다. 15절 마지막 부분에서 예수님은 "이제 나사로에게로 가자"라고 말씀합니다. 이제 나사로에게 갈 시간이 된 것입니다. 예수님은 죽은 나사로를 향해 발길을 옮기십니다.

여기에 몇 가지 교훈이 있습니다. 첫째, 하나님은 시간을 점검하고 계시다는 것입니다. 하나님의 시간은 멈춰 있지 않고 계속 흐르며 카운트다운되고 있습니다. 둘째, 사람이 끝냈다고 하나님이 끝내시지 않습니다. 사람이 죽었다고 모든 것이 끝난 것으로 생각한다면 큰 오산입니다. 그때부터 하나님이 역사하시기 때문입니다. 셋째, 예수님은 생명과 부활로 반드시 다시 오신다는 것입니다.

그러자 디두모라고도 하는 도마가 다른 제자들에게 말했습니다. "우리도 주와 함께 죽으러 가자"(요 11:16).

도마가 잠꼬대 같은 소리를 하고 있습니다. 그의 말은 언뜻 들으면 믿음이 있는 것처럼 보이지만, 실은 딴판입니다. 왜냐하면 열정이 곧 믿음은 아니기 때문입니다. 제자들은 "우리도 주님과 함께 나사로가 부활하는 현장을 목격하러 가자"고 말했어야 합니다.

우리는 복음을 들고 세계 곳곳으로 나아가야 합니다. 부활하신 주님이 어떻게 역사하시는지를 보려면 더 넓은 세상으로 나아가야 합니다. 죽은 자들 가운데서 방황하는 잃어버린 영혼들을 되찾아 다시 살리기 위해 하나님이 그들 가운데 계시며 지금도 그곳에서 역사하고 계시기 때문입니다. 부활의 현장을 찾아가십시오.

10

무덤에 누운 지
나흘이나 되었습니다

요한복음 11:17-27

예수님의 친구는 죽지 않는다

우리는 형식적인 믿음이 아니라 성령님이 주시는 부활의 능력을 경험하는 믿음으로 변화해야 합니다. 우리 믿음은 아는 것에서 확신하는 것으로, 이성적 사고에서 결단의 의지로 변화되어야 합니다.

> 예수님이 사랑하신 나사로는 결국 병들어 죽게 되었고 무덤 속에 있은 지 4일이 지났습니다. 예수께서 그곳에 도착하셔서 보니, 나사로가 무덤 속에 있은 지 이미 4일이나 됐습니다(요 11:17).

예수님은 나사로를 사랑하시고, 병든 그를 살릴 능력도 있으셨는데, 왜 그가 죽기까지 기다리셨을까요? 왜 예수님은 나사로가 죽은 지 4일이나 지난 뒤에 그곳에 도착하셨을까요? 예수님은 그의 병이 죽을병이 아니며 이 일을 통해 하나님의 아들이 영광을 받게 될 것이라고 말씀하셨습니다(요 11:4).

믿는 자들이 받는 고난이나 죽음은 저주가 아닙니다. 그것은 하나님의 영광을 위한 축복입니다. 예수님이 병든 나사로를 치유하지 않고 그가 죽을 때까지 기다리신 이유는 부활의 기적을 보여 주시기 위함입니다.

또한 예수님은 "우리 친구 나사로는 잠이 들었다. 그러나 이제 내가 가서 그를 깨우겠다"(요 11:11)고 말씀하십니다. 예수님은 나사로를 "우리 친구"라고 부르십니다. 예수님은 우리를 친구로 대하시고 초대해 주십니다.

여기서 예수님은 나사로의 죽음에 대해 "잠이 들었다"라고 말씀합니다. 죽음은 종말이고 저주이며 심판입니다. 죄의 삯은 사망입니다. 죽음은 미학(美學)도 희망도 결코 아닙니다. 사람들이 죽음을 두려워하고 거부하는 것은 당연합니다. 그런데 예수님이 죽음에 대한 사람들의 관념을 송두리째 뒤집어 놓으십니다. 그리스도인에게 죽음은 없다고 가르치십니다. 예수님으로 말미암아 저주의 죽음이 부활의 은혜로 바뀐 것입니다. 예수님이 사람의 죽음을 "잠들었다"고 표현하신 것은 죽은 사람은 깨어날 수 없지만 잠든 사람은 깨어날 수 있기 때문입니다.

이윽고 예수님은 "나사로를 깨우러 가자"고 하시면서 그의 무덤을 향해 발길을 옮기십니다.

베다니는 예루살렘에서 약 15스타디온 못 미치는 곳에 있었기 때문에 많은 유대 사람들이 오빠를 잃은 마르다와 마리아를 위로하려고 와 있었습니다. 마르다는 예수께서 오신다는 말을 듣고 달려 나가 예수를 맞았지만 마리아는 집에 남아 있었습니다(요 11:18-20).

이 말씀에서 우리는 세 가지 사실을 알 수 있습니다.

첫째, 나사로가 정말로 죽었다는 것입니다. 어떤 사람들은 예수님의 부활에 대해 "예수님은 죽었던 게 아니라 잠시 기절했다가 다시 깨어난 것"이라고 악의적으로 해석합니다. 그들의 억지 주장에 상관없이 예수님은 정말로 죽었다가 부활하셨습니다.

예수님은 나사로가 잠들었다고 표현하셨지만 실제로 그는 죽었습니다. 문상객들이 찾아와 마르다와 마리아를 위로하는 것만 보더라도 나사로의 죽음은 기정사실입니다.

둘째, 나사로와 그의 가족은 동네 사람들에게 사랑을 받고 인정을 받았다는 것입니다. 그 사실은 베다니 마을에 사는 사람들이 문상하러 왔다는 기록으로 보아 잘 알 수 있습니다.

셋째, 마르다와 마리아의 성품이 서로 달랐다는 것입니다. 자매는 기다리던 예수님이 오셨을 때 매우 기뻐했을 것입니다. 그러나 자매의 반응은 무척 다릅니다. 마르다는 달려 나가 예수님을 영접하지만, 마리아는 집 안에 앉아 있습니다. 요한복음과 누가복음에서 기록하고 있듯이, 마르다와 마리아는 전혀 다른 성품을 지녔습니다. 마르다는 외향적이며 활동적이고, 마리아는 내성적이며 소극적입니다.

예수님이 오셨다는 소식을 들은 마르다가 마중을 나가 생각나는 대로 말하기 시작합니다.

마르다가 예수께 말했습니다. "주여, 주께서 여기 계셨더라면 오빠가 죽지 않았을 것입니다"(요 11:21).

마르다는 예수님께 솔직한 감정을 그대로 드러냅니다. 그녀의 말에서 우리는 두 가지 사실을 알 수 있습니다. 하나는 "만약 주님께서 일찍 오셨더라면 내 오빠가 죽지 않았을 것"이라는 원망과 불평이 섞여 있다는 사실입니다. "조금만 더 일찍 오셨더라면" 하는 섭섭함이 담겨 있습니다. 또 하나는 예수님은 죽은 자도 살리고 병든 자도 낫게 하실 수 있다는 믿음이 엿보인다는 것입니다.

마르다는 늦게라도 오신 예수님을 반갑게 맞이합니다. 지금이라도 예수님이 뭔가를 해 주실 거라는 희망과 기대를 드러냅니다.

그러나 지금이라도 주께서 구하시는 것은 무엇이든지 하나님께서 다 이루어 주실 줄 압니다(요 11:22).

그럴듯해 보이지만 허점투성이다

마르다는 이제라도 주님께서 하시고자 하면 무엇이든지 할 수 있음을 안다고 말합니다. 그녀의 말을 언뜻 들으면, 굉장한 믿음이 있는 것처럼 들립니다. 하지만 조금 더 깊이 들어가면, 그녀의 믿음에 문제가 있음을 간파할 수 있습니다.

마르다의 믿음은 본질적이고 결정적인 것이 아니라 인간적이고 한계가 있으며 이성에 기초한 것입니다. 우리 또한 교회에 열심히 다니고 하나님을 믿는다고 말은 하지만 결정적인 순간에 아무것도 이뤄지지 않습니다. 우리의 열심이 부족해서가 아니라 우리의 믿음이 인간적이고 이성적이기 때문입니다. 마르다의 믿음에 문제가 있음은 그녀가 예수님에게 한 말에 잘 나타나 있습니다.

첫째, 마르다는 막연한 기대와 희망을 믿음으로 착각하고 있습니다. "지금이라도 주님께서 무엇인가를 하나님께 구하실 수 있습니다"라는 말은 긍정적이고 좋습니다. 희망과 기대감을 갖고 있습니다. 그러나 이것은 믿음의 본질이 아닙니다.

예를 들어 "주님께서 하실 수 있습니다", "주님께서 기적을 베푸실 수 있습니다", "주님께서 우리를 사랑하십니다" 등과 같은 고백은 막연한 희망과 기대를 나타내는 것이지 본질적인 믿음을 나타내지는 않습니다. 사람은 누구나 희망 사항과 기대감을 갖고 있기 마련입니다. 그것을 믿음으로 착각해선 안 됩니다.

둘째, 마르다의 말에 허점이 있다는 것입니다. 그녀는 "주님께서 무엇이든지 하실 수 있습니다"라고 고백하지 않고, 대신에 "주께서 구하시는 것은 무엇이든지 하나님께서 다 이루어 주실 줄 압니다"라고 고백합니다. 두 말의 차이는 무엇일까요? 예수님을 하나님으로 보지 않고 있다는 점입니다. 마르다는 예수님이 구하시면 하나님이 주신다고 고백할 뿐, 예수님이 하실 수 있다고 고백하고 있지 않습니다.

셋째, 마르다는 "믿는다"라는 말을 사용하지 않는다는 것입니다. 그녀는 항상 "안다"고 말합니다. 믿는 것과 아는 것은 하늘과 땅만큼의 큰 차이가 있습니다. '안다'는 것은 지식과 정보를 토대로 합니다. 인간의 지식과 정보는 기적을 만들어 내지 못합니다. 이해한다고 모든 일이 이뤄지지 않습니다.

마르다의 믿음의 기초는 이성, 합리성, 지식, 정보 등입니다. 따라서 시작은 좋지만 결과는 없고 기적도 일어나지 않습니다. 언제나 목마른 믿음, 기대와 희망이 있지만 결정적인 능력은 없는 믿음입니다.

앎에서 믿음으로 나아가다

예수님이 마르다에게 놀라운 말씀을 주십니다.

> 예수께서 마르다에게 말씀하셨습니다. "네 오빠가 다시 살아날 것이다"(요 11:23).

이것이 부활의 믿음입니다. 여기서 우리는 인간적인 믿음과 예수님이 말씀하시는 믿음의 차이를 발견할 수 있습니다. 예수님이 마르다에게 "네 오빠가 다시 살아날 것이다"라고 말씀하신 것은 인간의 이성이나 경험으로 받아들이기 어렵습니다. 하지만 예수님은 단도직입적으로 말씀하십니다.

여기서 우리가 알 수 있는 것은 참 희망은 막연한 기대가 아니라는 사실입니다. 참 희망은 주님의 약속에 기초한 것입니다. 참 믿음은 이성이나 합리성, 정보, 지식 등에 따라 결정되는 것이 아니라 "네 오빠가 다시 살아날 것이다"라고 하신 예수님의 말씀 속에 있습니다. 이것이 믿음의 본질입니다.

그러나 예수님의 말씀에 흔들릴 마르다가 아닙니다. 그녀는 예수님의 말씀을 듣고도 자기식의 믿음을 버리지 않습니다. 우리는 보편적으로 하나님 말씀을 듣고 나서 자기식으로 해석하는 경향이 있습니다. 그래서 아무 기적도 일어나지 않게 만들어 버립니다. 우리가 교회에서 수없이 예배를 드리고 말씀을 들어도 삶에 기적이 일어나지 않는 이유는 하나님 말씀을 우리식으로 재해석해 버리기 때문입니다. 자기 믿음의 수준을 뛰어넘으려 하지 않기 때문에 아무 일도 일어나지 않는 것입니다.

마르다가 대답했습니다. "그가 마지막 날 부활 때에 다시 살아나리라는 것은 제가 압니다"(요 11:24).

여기서도 마르다는 "압니다"라고 말합니다. 부활을 믿지만 지금이 아닌 마지막 날에 부활할 것을 믿는다는 것입니다. 그녀의 말은 인간의 이성과 합리성에 따른 것입니다. 마르다는 예수님을 사랑하고 따르며 희망과 기대를 갖고 있습니다. 또한 예수님은 기적과 능력을 베푸시는 분임을 알고 있습니다. 예수님이 기도하시면 하나님이 즉시 응답해 주시는 것도, 마지막 날에 믿은 자들이 모두 부활하는 것도 알고 있습니다. 그러나 예수님이 죽은 나사로를 당장 살리실 수 있다는 믿음은 보이지 않습니다.

예수님은 구태의연하고 인간적인 관점을 바꾸지 않는 마르다에게 다시 결정적인 말씀을 들려주십니다.

> 예수께서 마르다에게 말씀하셨습니다. "나는 부활이요, 생명이니 나를 믿는 사람은 죽어도 살겠고 살아서 나를 믿는 사람은 영원히 죽지 않을 것이다. 네가 이것을 믿느냐?"(요 11:25-26).

예수님은 "내가 생명을 준다"고 말씀하시지 않습니다. "나는 부활이요, 생명이다"라고 말씀하십니다. 물론, 예수님은 부활을 주시고 생명을 주십니다. 예수님은 부활과 생명에 대해서 "나를 믿는 자가 죽어도 사는 것"이라고 말씀하십니다.

예수님을 통해 죽음은 저주와 심판에서 부활의 복으로 바뀝니다. 생명은 "살아서 예수님을 믿는 자는 영원히 죽지 않는 것"입니다. 곧 '영생'입니다. 바로 예수님은 부활이시고 영원히 죽지 않는 영생이십니다.

그러나 예수님은 죽은 자들을 모두 살리시지는 않습니다. 딱 한 사람, 나사로만 살리십니다. 예수님이 십자가에 못 박혀 죽으시고 장사되었다가 부활하실 것을 나사로의 죽음을 통해 알려 주시는 것입니다.

마르다는 "안다"고 말하지만, 예수님은 "네가 이것을 믿느냐?" 라고 도전하십니다. 안다는 것은 이성의 문제이므로 갈등이 없습니다. 그러나 믿는다는 것은 결단과 의지의 문제이므로 갈등하게 됩니다. 곧 개인의 의지와 결단을 포함하는 것이기 때문입니다.

예수님의 도전에 마르다는 자신의 믿음을 바꾸기 시작합니다. 인간적이고 제한적이며 합리적인 사고에서 부활과 기적, 능력의 믿음으로 바뀌게 됩니다. 나사로 사건은 단지 한 사람이 죽었다가 다시 살아나는 것에 그치지 않고 메시아의 부활과 연결되는 아주 기막힌 사건입니다. 이것을 마르다가 느끼기 시작한 것입니다.

드디어 마르다가 "아멘"을 말하기 시작합니다.

마르다가 예수께 말했습니다. "네, 주여! 주는 세상에 오실 그리스도이시며 하나님의 아들이심을 제가 믿습니다"(요 11:27).

여기서 "네, 주여"란 "아멘"을 의미합니다. 마르다는 예수님의 말씀을 믿고 받아들이고, 주님이 부활이요 생명이시며 기적을 베푸실 수 있는 분임을 믿기 시작합니다. 대변화입니다.

믿음이 바뀌면 언어가 달라집니다. 우리는 형식적인 믿음이 아니라 성령님이 주시는 부활의 능력을 경험하는 믿음으로 변화해야 합니다. 우리 믿음이 아는 것에서 확신하는 것으로, 이성적 사고에서 결단의 의지로 변화되기를 축원합니다.

믿음의 내용은 "예수님이 그리스도이시고 메시아이시며 세상에 오시는 하나님의 아들이시다"라는 것입니다. 우리 모두 이 사실을 믿고 고백해야 합니다. 그리고 예수님의 말씀에 의지해 '아는 신앙'을 청산하고 '결단하는 신앙'으로 바뀌어야 합니다.

예를 들어 담배가 건강에 해롭다는 것을 알면서도 끊지 못하는 사람은 당장 금연을 결단해야 합니다. 자기 의지로 스스로 결단하면 기적을 볼 수 있습니다.

"주님, 그렇습니다. 주님은 그리스도이시요 세상에 오시는 하나님의 아들이신 줄 의지적으로 믿습니다. 감정이 동의하지 않아도 믿기로 결정합니다. 평생을 가난한 자를 위해 살겠습니다"라고 결단할 때 기적이 일어납니다. 이런 믿음의 고백 위에 죽었던 나사로가 살아나는 놀라운 기적이 있습니다. 우리 삶에도 기적은 얼마든지 일어날 수 있습니다.

11

주님이 나와 함께
우십니다

요한복음 11:28-35

진정한 변화는 믿음의 고백으로 시작된다

마르다는 예수님을 만난 후에 인간적인 믿음에서 부활의 믿음으로 변화했습니다. 처음에 마르다는 예수님을 직접 만나 말씀을 들었지만, 인간의 지식과 정보에 근거한 믿음을 갖고 있었습니다. '믿는 것'보다 '아는 것'에 치우쳐 있었습니다. 그런데 예수님이 대화 중에 마르다의 믿음을 바로잡아 주십니다.

진정한 믿음은 인간적 지식과 정보에 있지 않고, 부활과 생명에 있습니다.

> 예수께서 마르다에게 말씀하셨습니다. "나는 부활이요, 생명이니 나를 믿는 사람은 죽어도 살겠고 살아서 나를 믿는 사람은 영원히 죽지 않을 것이다. 네가 이것을 믿느냐?"(요 11:25-26).

예수님이 "네가 이것을 믿느냐?"하고 도전하십니다. 마르다는 자신의 믿음에 문제가 있음을 인식하고 주님의 사랑과 격려의 도전에 힘입어 자신의 믿음을 바꾸기 시작합니다. 우리도 인간의 이성에 기초한 믿음을 버리고 성령에 근거한 약속의 믿음을 가져야 합니다.

이제 마르다의 말이 달라지기 시작합니다. 사람은 믿음이 생기면 먼저 말부터 바뀝니다. 부정적이던 사람은 긍정적인 사람으로, 비판적이던 사람이 칭찬하는 사람으로 바뀝니다. 예수님의 말씀에 항상 "안다"고 대답하던 마르다가 드디어 "네, 주여! 주는 세상에 오실 그리스도이시며 하나님의 아들이심을 제가 믿습니다"(27절)라고 믿음을 고백하기 시작합니다.

마르다의 고백은 이전과 확연히 다릅니다. 우리는 마르다의 말에서 세 가지 변화를 발견할 수 있습니다.

첫째, 마르다의 믿음이 '아멘' 신앙으로 바뀌었습니다. "네, 주여"라는 말은 예수님의 말씀에 동의를 표하는 것입니다. 즉 "아멘"이라는 뜻입니다. 우리는 말씀을 듣거나 기도할 때 "아멘"으로 화답합니다.

둘째, 마르다의 믿음이 신앙고백으로 변했습니다. "주는 세상에 오실 그리스도이시며 하나님의 아들이심을 내가 믿습니다"라고 고백한 것입니다. 믿음의 클라이맥스는 예수님이 그리스도이신 것을 깨닫고 고백하는 것입니다.

우리는 식사할 때 그릇을 먹지 않고 그릇 안에 담긴 음식을 먹습니다. 믿음도 이와 같습니다. 믿음은 그릇이고 예수 그리스도는 음식입니다. 믿음은 예수 그리스도를 담고 있고, 우리는 예수 그리스도를 먹습니다. "주는 그리스도이시고, 세상에 오시는 하나님의 아들"이시라는 것이 믿음의 핵심입니다.

셋째, 마르다가 더 이상 "안다"고 말하지 않고, "믿는다"고 말합니다. "예수님은 부활과 생명이신 것을 믿습니다. 아멘, 그렇습니다"라고 고백합니다. 그녀는 이 사건이 있기 전에도 예수님을 사랑했고 주님과 만난 적이 있습니다. 그런데 이제야 진정으로 변화된 것입니다. 우리의 신앙생활에도 마르다와 같은 변화가 있기를 축원합니다.

변화는 조용히 그러나 확연히 일어난다

마르다의 변화된 모습을 세 가지로 요약할 수 있습니다.

> 마르다는 이 말을 하고 나서 돌아가 자기 동생 마리아를 불러 가만히 말했습니다. "선생님이 여기 와 계시는데 너를 부르신다"(요 11:28).

첫째, 마리아를 대하는 태도가 달라졌습니다. 마르다와 마리아의 성격은 판이하게 다릅니다. 마르다는 직설적이고 공격적이며 개방적 성격인 반면에 마리아는 수동적이고 수줍어하는 성격입니다.

마르다의 변화된 모습은 누가복음 10장 38-42절 말씀과 비교할 때 확연히 드러납니다. 예수님은 마르다와 마리아의 집을 방문하셨습니다. 마리아는 예수님의 발밑에서 말씀을 경청하고 마르다는 예수님을 영접하려고 청소하랴, 음식 장만하랴 분주하게 움직였습니다. 정신없이 바쁘게 일하던 마르다는 예수님 옆에 앉아 말씀만 듣고 있는 마리아를 보자 화가 났습니다.

그래서 마르다는 신경질적으로 예수님께 "주여, 제 동생이 저한 테만 일을 떠맡겼는데 왜 신경도 안 쓰십니까? 저를 좀 거들어 주라고 말씀해 주십시오!"라고 말합니다. 예수님을 지나치게 사랑한 나머지 아예 "이래라저래라" 하고 지시까지 한 것입니다.

하나님께 기도할 때 자신의 계획에 맞춰 자신의 방법대로 응답해 달라는 것과 같습니다. 물론, 언니 마르다는 동생 마리아를 사랑합니다. 그러나 서로 성격이 달라서 관계가 원만하지만은 않았음을 짐작할 수 있습니다. 서로 시기하고 질투하며 예수님의 사랑을 독점하고 싶어 했을 것입니다.

그런데 본문에서는 그런 알력을 전혀 느낄 수 없습니다. 마르다는 돌아가 자기 동생 마리아를 불러 가만히 "선생님이 여기 와 계시는데 너를 부르신다"고 전해 줍니다. "선생님이 너를 부르신다"라는 말에는 시기나 질투가 없고, 형용할 수 없이 따뜻한 마음이 담겨 있습니다.

둘째, 마르다가 조용히 마리아를 부른 것입니다. 마르다는 사람이 많은 곳에서 공개적으로 크게 떠들며 부를 수도 있었습니다. 그러나 그녀는 일대일로 만나 마리아에게 인격적으로 예수님의 메시지를 전합니다. 여기에는 예수님에 대한 사랑과 마리아를 배려하는 마음이 전제되어 있습니다. 사랑에는 눈에 보이지 않는 배려가 깔려 있어야 합니다. 사랑은 내용도 중요하지만 상대방이 상처받지 않도록 배려하는 마음도 동반되어야 합니다.

셋째, "주께서 너를 부르신다"라는 메시지를 전달한 것입니다. 메시지 전달은 그 과정에서 늦어질 수도 과장될 수도 있습니다. 나쁜 마음을 먹기만 한다면 왜곡하거나 전달하지 않을 수도 있습니다. 그러나 사랑하는 마음을 가지면 메시지를 빠르고 정확하게 전달합니다. 마르다는 인간적 믿음에서 부활의 믿음으로, 남을 배려하는 믿음의 소유자로 변화했습니다.

예수님은 우리를 직·간접적으로 초청하시곤 합니다.

구하라. 그러면 너희에게 주실 것이다. 찾으라. 그러면 너희가 찾을 것이다. 문을 두드리라. 그러면 너희에게 문이 열릴 것이다(마 7:7).

수고하고 무거운 짐을 진 모든 사람은 다 내게로 오라. 내가 너희를 쉬게 할 것이다(마 11:28).

누구든지 목마른 사람은 다 내게로 와서 마시라. 누구든지 나를 믿는 사람마다 성경의 말씀대로 생수의 강이 그의 배에서 흘러나올 것이다(요 7:37-38).

예수님이 우리를 직접 초청하시는 말씀들입니다.

그런데 본문은 예수님이 마르다를 통해 마리아를 간접적으로 초청하십니다. 마르다가 전한 말을 보면, 예수님이 마리아를 속히 보고 싶어 하심을 알 수 있습니다. 그리고 예수님은 듣고도 못 들은 척, 보고도 못 본 척하신다는 것도 알 수 있습니다.

예수님이 우리에게 무관심하신 것처럼 보일 때가 있지만 실상은 우리의 고통과 눈물을 모두 알고 계십니다. 예수님은 오빠의 죽음으로 인해 혼자서 몰래 눈물을 훔치고 있는 마리아를 이미 알고 계셨습니다. 다만 모른 척하실 뿐입니다.

예수님은 마르다를 통해 마리아를 초청하시듯, 모든 사람을 초청하고 계십니다. "내가 너를 기억하고 있고 너의 눈물과 슬픔을 알고 있다. 얼마나 힘들어하는지도 알고 있다. 너를 만나 위로해 주고 싶다"고 말씀하십니다.

눈물 흘리시는 주님 앞에 예배자로 서라

마르다와 마리아한테서 배울 점이 하나씩 있습니다. 마르다에게는 복음 전파의 사명을 배울 수 있습니다. 예수님은 마르다에게 "마리아를 불러오라"고 말씀합니다. 메시지 전달의 책임을 맡은 사람의 사명을 말하는 겁니다. 성경에 보면 "그러므로 너희는 가서 모든 민족을 제자로 삼아 아버지와 아들과 성령의 이름으로 세례를 주고 내가 너희에게 명령한 모든 것을 그들에게 가르쳐 지키게 하라. 보라. 내가 세상 끝 날까지 너희와 항상 함께 있을 것이다"(마 28:19-20)라고 명령하고 있습니다.

또한 "그러나 성령께서 너희에게 오시면 너희가 권능을 받고 예루살렘과 온 유대와 사마리아와 땅끝까지 이르러 내 증인이 될 것이다"(행 1:8)라고 강조하고 있습니다. 주님이 믿는 자들에게 복음을 위임하신 것입니다. 우리는 복음을 전파해야 할 책임을 지고 있습니다. 때를 얻든지 못 얻든지 주저하지 말고 정확하고 신속하게 복음을 전해야 합니다.

하나님은 아브라함에게 이삭을 바치라고 명령하셨습니다. 아브라함은 다음 날 아침에 일찍 일어나 이삭을 데리고 나귀에 땔감 나무를 싣고 모리아산으로 향했습니다. 아브라함은 사랑하는 아들 이삭을 죽이라는 하나님의 명령에 주저하지 않고 믿음으로 순종했습니다. 우리는 주님께 받은 메시지를 내용대로 신속하게 순종해야 합니다.

마리아에게서는 예배하는 신앙을 볼 수 있습니다. 그녀는 메시지를 전해 듣고 곧바로 행동으로 옮깁니다.

마리아는 이 말을 듣고 급히 일어나 예수께로 갔습니다(요 11:29).

마리아는 예수님을 진심으로 사랑합니다. 그녀는 애타게 예수님을 기다리면서 오빠의 죽음으로 인해 집 안에서 눈물을 흘리고 있습니다. 마르다가 와서 "선생님이 여기 와 계시는데 너를 부르신다"는 메시지를 전해 주자 즉시 일어나 예수님께 달려갑니다.

우리는 주님이 부르실 때 속히 일어나 달려가야 합니다. 주님이 부르실 때 "아멘" 하고 뛰어나갈 수 있어야 합니다. 모든 것을 버리고 곧장 행동으로 옮길 수 있어야 합니다. 마리아는 모든 것을 팽개치고 황급히 일어나 예수님께 달려갔습니다. 이것이 축복의 시작이고 기적의 시작입니다. 그러나 주위에 있던 문상객들은 마리아가 급히 달려 나가는 이유를 알지 못했습니다.

예수께서는 아직 동네에 들어가지 않으시고 마르다가 마중 나갔던 그곳에 계셨습니다. 마리아와 함께 집 안에 있으면서 그녀를 위로하던 유대 사람들은 마리아가 벌떡 일어나 나가는 것을 보고 통곡하러 무덤에 가는 줄 알고 따라나섰습니다(요 11:30-31).

마르다한테서 예수님의 도착 소식을 전해 들은 마리아는 예수님을 만나자마자 그 발 앞에 엎드립니다.

마리아는 예수께서 계신 곳에 이르러 예수를 보자 그 발 앞에 엎드려 말했습니다. "주여, 주께서 여기 계셨더라면 저희 오빠는 죽지 않았을 것입니다"(요 11:32).

이 말씀은 언뜻 보면 별것 아닌 것처럼 보입니다. 그러나 자세히 살펴보면 굉장한 비밀이 숨겨져 있습니다.

마리아가 속히 달려와 가장 먼저 한 행동은 예수님께 자신을 보이고 그분 발 앞에 엎드리는 것입니다. 곧 '예배하는 것'입니다. 마르다는 예수님을 만나 "주께서 여기 계셨더라면 오빠가 죽지 않았을 것입니다"라며 투정 섞인 말을 했지만 예배하진 않았습니다.

무릎을 꿇고 예수님께 예배할 때 기적과 축복이 시작됩니다. 우리는 주님께 찬양할 수 있지만, 예배하며 찬양하는 것과 그냥 찬양하는 것은 다릅니다. 마르다와 마리아는 똑같이 예수님을 맞이했지만 분명히 차이가 있습니다. 그것은 '예배하는 것'만큼의 차이입니다. 예배가 있느냐, 없느냐 하는 것은 인간적 믿음이냐, 부활의 믿음이냐의 차이입니다.

마리아는 예수님을 맞이해 경배한 후에 "주님께서 여기 계셨더라면 저희 오빠는 죽지 않았을 것"이라고 말합니다. 마르다와 똑같이 원망과 투정 섞인 말을 했지만, 마리아의 말은 신앙고백이 됩니다. 마리아는 하나님의 아들이신 예수 그리스도의 주님 되심을 예배한 것입니다.

우리는 주님 앞에 예배자로 서야 합니다. 하나님은 목사나 장로, 집사들을 찾으시는 게 아니라 신령과 진정으로 예배하는 자들을 찾으십니다. 예배드릴 때 주님의 기름 부으심이 있고 기적이 있습니다. 우리는 항상 급한 일을 만나고, 하고 싶은 말이 많으며, 힘들고 고통스러운 일을 자주 겪습니다.

무엇보다도 우리가 가장 먼저 해야 할 일은 예수님 앞에 무릎 꿇고 두 손을 들어 예배하는 것입니다.

예수께서는 마리아가 흐느껴 우는 것과 따라온 유대 사람들도 함께 우는 것을 보시고 마음이 비통해 괴로워하셨습니다. 예수께서 말씀하셨습니다. "나사로를 어디에 뒀느냐?" 그들이 대답했습니다. "주여, 와서 보십시오." 예수께서는 눈물을 흘리셨습니다(요 11:33-35).

예수님은 마중 나온 두 사람에게 각기 다른 반응을 보이십니다. 본문은 우리에게 놀라운 메시지를 던져 줍니다. 예수님이 마리아의 신앙 고백을 듣고 눈물을 흘리셨다는 것입니다.

기도나 신앙 고백, 예배 등으로 예수님을 우시게 한 적이 있습니까? 이런 눈물은 드라마를 보면서 흘리는 눈물과는 차원이 다릅니다. 예수님은 마리아와 그곳에 함께 온 유대 사람들이 우는 것을 보고 심령에 비통히 여기시고 민망히 여기십니다.

비통은 격렬한 감정 상태를 말합니다. 어떤 면에서는 분노라고도 말할 수 있습니다. 예수님은 "내가 사랑하는 사람들을 질병, 슬픔, 고독, 죽음 등으로 이렇게 비참하게 만들 수 있는가" 하고 분노하신 것입니다. 예수님은 사랑하시는 사람들의 눈에서 눈물을 흘리게 한 죽음의 권세에 분노하십니다. 사람들이 아파하고 고통스러워하는 것을 보고 감정의 동요를 일으키십니다. 그래서 눈물을 흘리신 것입니다. 가족이나 친척들이 병들어 죽게 되었을 때 부모나 친척들이 괴로워하며 통곡하듯이 예수님도 우셨습니다.

예수님은 하나님의 아들이시지만 사람과 똑같은 인성을 가진 분이십니다. 우리와 동일한 감정으로 아픔과 슬픔, 고통 등을 느끼십니다. 우리가 아파하고 힘들어하며 외로워할 때 그분도 아파하고 힘들어하며 외로워하십니다. 모든 자식이 다 잘된다면 부모는 얼마나 좋겠습니까? 그러나 자식이 입시에 떨어졌을 때, 이혼했을 때, 병들었을 때 부모로서 아무것도 해 줄 수 없다는 것에 매우 안타까워합니다. 동시에 주님도 함께 안타까워하십니다.

여기서 예수님이 겪으신 세 가지 일이 등장합니다. 첫째, 사람들에게 싫어 버린 바 되신 것입니다. 즉 사람들에게 소외당하셨다는 뜻입니다. 요즘 말로 '왕따'당하신 것입니다. 인간이 가진 상처 중에서 가장 큰 것은 거절입니다. 예수님이 사람들에게 거절당하신 것입니다.

둘째, 예수님은 많은 간고를 겪으셨습니다. 그래서 우리의 고통에 관해 충분히 알고 계십니다.

셋째, 예수님이 인간의 질병에 대해 아신 것입니다. 따라서 주님은 인간의 질병, 간고, 외로움 등을 짊어지고 십자가에 못 박히셨습니다. 예수님은 인간의 모든 슬픔과 고통, 질고에 대해 잘 알고 계십니다.

예수님이 "죽은 나사로를 어디에 뒀느냐?"고 물으십니다. 예수님은 죽음의 권세에 대한 분노로 나사로의 시신이 있는 곳으로 가자고 하십니다. 이 말씀은 곧 "내가 죽음을 대면하러 가겠다", "인간을 이토록 처참하게 만드는 사망의 세력을 부수러 가겠다"라는 뜻입니다.

사도 바울은 "'사망아, 네 승리가 어디 있느냐? 사망아, 너의 독침은 어디 있느냐?' 사망의 독침은 죄요, 죄의 권세는 율법입니다. 그러나 우리 주 예수 그리스도를 통해 우리에게 승리를 주시는 하나님께 감사를 드립니다. 그러므로 내 사랑하는 형제들이여, 굳게 서서 흔들리지 마십시오. 여러분의 수고가 주 안에서 헛되지 않음을 알고 항상 주의 일에 더욱 힘쓰는 사람들이 되십시오"(고전 15:55-58)라고 강권합니다.

부활 신앙을 가진 그리스도인은 사망의 권세에 맞설 능력이 있습니다. 죽음과 싸워 승리할 수 있다는 뜻입니다. 그래서 예수님이 "나사로의 무덤으로 가자"고 하면서 본을 보이신 것입니다.

예수님이 사망과 질병, 소외감, 고통의 권세를 깨뜨리신 것처럼 우리도 그렇게 할 수 있습니다. 또한 예수님이 나사로의 죽음을 보고 비통히 여기셔 눈물을 흘리신 것처럼, 우리의 고통에도 눈물을 흘리십니다.

이 사실을 기억하고 사망의 권세와 맞서 싸우십시오. 우리 고통에 눈물을 흘리시는 예수님으로 말미암아 큰 위로가 임할 것입니다.

12

내 믿음이 부족함을
고백합니다

요한복음 11:36-44

사랑하지 않으면 눈물이 흐르지 않는다

사람은 살면서 세 번 운다고 합니다. 세상에 태어날 때 울고, 자신을 낳아 주고 길러 주신 부모님이 돌아가실 때 울며, 세 번째로 그리스도인이라면 하나님을 만날 때 웁니다.

성경에는 예수님이 웃으셨다는 기록이 없습니다. 아마 예수님은 평소에 잔잔한 미소를 지으셨을 것입니다. 오히려 크게 웃기는 쉬워도, 늘 잔잔한 미소를 머금고 있기란 어렵습니다. 미소를 잘못 지으면 마치 비웃는 것처럼 보일 수도 있습니다. 예수님은 따스하고 온화한 사랑의 미소를 지으셨을 것입니다. 따라서 그리스도인의 웃음도 미소를 머금은 모습이 아닐까 생각합니다.

"예수께서는 눈물을 흘리셨습니다"(요 11:35)라는 짧은 말씀에 기막히게 깊은 뜻이 담겨 있습니다. 우리말로는 세 어구로 번역되었지만, 영어로는 "Jesus wept" 두 단어로 번역되었습니다. 이 구절은 성경에서 가장 짧은 문장이면서도 가장 깊이 있는 말씀입니다.

예수님은 왜 눈물을 흘리셨을까요? 예수님이 사랑하시는 나사로가 죽었기 때문입니다. 왜 예수님의 눈물이 중요할까요? 하나님의 눈물이기 때문입니다. 다시 말해서, 하나님이 눈물을 흘리셨다는 것이고, 이것은 매우 특이한 사건입니다. 무소불능하고 무소부재하신 하나님이 도대체 왜 우셨을까요?

우리 인간을 사랑하시기 때문입니다. 눈물에는 고통스러워 흘리는 눈물과 사랑해서 흘리는 눈물이 있습니다. 자녀가 잘못되면 부모가 피눈물을 흘립니다. 부모가 자녀를 너무나 사랑하기 때문입니다.

또한 예수님은 하나님인 동시에 인간이시므로 우리와 같은 감정을 느끼십니다. 울 줄도 모르고, 웃을 줄도 모르는 사람과 대화하기란 불가능합니다. 감정이 없는 사람에게는 현상만 있을 뿐입니다. 사람에게 감정이 있다는 것은 아름다운 일입니다.

예수님은 감정이 없는 돌덩이가 아니십니다. 거룩한 진리와 공의만 내세우는 딱딱한 분이 아니십니다. 예수님은 사랑하는 이들을 위해 눈물을 흘리십니다.

참된 구원에는 구원자의 눈물이 있고, 구원받는 자의 눈물이 있습니다. 하나님은 인간을 구원할 때 눈물을 흘리시고, 구원받는 사람도 눈물을 흘리기 마련입니다.

예수님이 눈물을 흘리신 것에 대해 깊이 묵상할 수 있는 주제는 "예수님의 눈물은 과연 우리에게 어떤 의미인가?"라는 것입니다. 집 안에 있는 벌레가 죽었다고 통곡하며 우는 사람은 없습니다. 벌레 같은 하찮은 존재 때문에 울며불며 눈물을 흘리지는 않습니다. 깨진 항아리, 낡은 옷, 폐차된 자동차, 쓰레기 더미 등을 보고 눈물을 흘리는 사람도 없습니다.

그러나 사랑하는 부모나 형제나 친지를 잃었을 때는 눈물을 터뜨릴 수밖에 없습니다. 나에게 소중한 존재이기 때문입니다. 가장 아끼고 애착을 느끼는 물건이 깨지거나 없어졌을 때는 속상해 합니다. 나에게 가치 있는 물건이기 때문입니다.

눈물과 가치는 상관관계가 있습니다. 내면에서 우러나오는 고통으로 말미암아 불쌍히 여기는 마음에서 눈물이 흐릅니다. 예수님이 죽은 나사로를 보고 눈물을 흘리신 이유는 나사로가 그만큼 가치 있고 특별한 보배로운 존재이기 때문입니다.

요즘 통계를 보면, 자살로 죽는 사람이 교통사고로 사망하는 사람보다 많다고 합니다. 왜 많은 사람이 자살을 시도할까요? 자신이 특별하고 의미 있는 존재이며, 어떤 상황에서도 살아야 하는 가치 있는 존재라고 느끼지 못하기 때문입니다.

예수님은 나사로의 죽음에 눈물을 흘리셨습니다. 절대 권능자의 눈물이요, 인류 구원자의 눈물입니다. 이처럼 사람은 하나님께 의미 있고 귀한 존재입니다. 예수님이 눈물을 흘리실 만큼 인간은 가치 있는 존재입니다.

인간은 동물의 형상이 아닌 하나님의 형상으로 지음 받은 존재입니다. 인간에 대한 가장 큰 모욕은 각종 동물에 비유하는 것입니다. 소띠니 말띠니 하며 사람의 탄생을 동물에 비유해서는 안 됩니다. 동물의 형상으로 사람을 비유하는 것은 인간 스스로 자신을 폄

하하는 일입니다. 사람은 하나님의 유전 인자를 가진 귀한 존재입니다. 사람이 소중한 까닭은 하나님의 형상을 가졌기 때문입니다.

사람은 사탄의 종이 아닌데도, 많은 사람이 마귀의 종노릇을 하며 살아가고 있습니다. 우리는 하나님의 자녀입니다. 하나님의 형상으로 지음을 받은 아주 귀한 존재입니다. 인간은 단순한 물질이 아니라 오묘하고 신비한 영적 존재입니다. 예수님이 눈물을 흘리실 정도로 귀한 존재입니다.

다음 말씀은 우리가 어떤 존재인지에 관해 분명히 가르쳐 줍니다.

그러나 여러분은 택하신 족속이요, 왕 같은 제사장들이요, 거룩한 나라요, 그분의 소유된 백성이니 이는 여러분을 어둠에서 불러내어 그분의 놀라운 빛으로 들어가게 하신 분의 덕을 선포하게 하시기 위한 것입니다(벧전 2:9).

무덤을 가로막고 있는 돌을 치우는 일은 우리 몫이다

예수님이 눈물 흘리시는 것을 본 유대 사람들은 두 가지로 말합니다.

그러자 유대 사람들이 말했습니다. "보시오. 그가 나사로를 얼마나 사랑하셨는지!" 그러나 그들 중 어떤 사람은 이렇게 말했습니다. "눈먼 사람의 눈을 뜨게 하신 분이 이 사람을 죽지 않게 하실 수는 없었다는 말이오?"(요 11:36-37).

먼저 한 무리의 유대 사람은 예수님이 나사로를 "정말 사랑하셨구나"라고 이구동성으로 말합니다. 예수님은 우리를 지독하게 사랑하십니다. 우리가 아프면 예수님도 아파하시고, 우리가 슬퍼하면 예수님도 눈물을 흘리십니다. 주위에 있던 사람들은 "보시오. 그가 나사로를 얼마나 사랑하셨는지!"라며 감탄합니다.

다른 한 무리의 유대 사람은 "눈먼 사람의 눈을 뜨게 하신 분이 이 사람을 죽지 않게 하실 수는 없었다는 말이오?"라고 말합니다. 이 말은 "눈먼 사람의 눈을 뜨게 한 분이라면 나사로의 병도 낫게 하고 죽음도 막을 수 있었을 텐데"라는 뜻입니다. 이처럼 나사로의 죽음을 두고 예수님에 대한 주위 사람들의 질문과 의문은 계속됩니다.

예수께서는 다시금 속으로 비통하게 여기시며 무덤 쪽으로 가셨습니다. 무덤은 입구를 돌로 막아 놓은 동굴이었습니다(요 11:38).

예수님은 나사로의 죽음으로 말미암아 두 번째로 비통함을 느끼십니다. 여기서 비통이란 거룩한 분노의 감정을 말합니다. 33절에서 예수님은 마리아와 함께 온 유대 사람들이 우는 것을 보고 비통하게 여기시며 나사로의 무덤으로 가자고 말씀하십니다. 그리고 38절에서 나사로의 무덤 앞에서 다시 비통해하십니다. 예수님은 사랑하는 친구 나사로를 죽음으로 몰아간 질병과 고통, 저주 등에 정면으로 분통을 터뜨리신 것입니다.

우리는 가끔 사람들에게 분통을 터뜨립니다. 그러나 사람이 아닌 죄와 죽음, 사탄에게 분통을 터뜨려야 합니다. 우리는 죄의 본질을 볼 수 있는 눈을 가져야 합니다. 사회의 부조리만 볼 게 아니라 부조리 안에 있는 구조적인 죄악을 파악할 수 있어야 합니다. 죄악의 본질에 대해 분노하고 대면하는 영적 통찰력을 갖춰야 합니다. 하지만 대부분의 사람은 죄의 현상만 봅니다.

"예수님이 비통하게 여기셨다"는 것은 질병, 저주, 죽음 등에 대해 분노가 있으시다는 뜻입니다. 우리도 각종 악한 세력을 비통하게 여기고 예수님의 이름으로 맞서 싸워야 합니다. 예수님은 사망의 권세에 대해 분노하시며 무덤 앞에서 대결하십니다.

예수님과 사람들이 함께 나사로의 무덤 앞에 도착해 보니 크고 무거운 돌이 무덤의 문을 막고 있습니다.

예수께서 말씀하셨습니다. "돌을 옮겨 놓아라." 죽은 사람의 누이 마르다가 말했습니다. "하지만 주여, 그가 저기 있은 지 4일이나 돼 벌써 냄새가 납니다"(요 11:39).

이 말씀과 관련된 재미있는 두 가지 사실이 있습니다.

첫째, 예수님이 죽음과 직면하러 나사로의 무덤으로 가셨는데 장애물을 만난 것입니다. 예수님은 장애물을 직접 치우지 않으시고 사람들에게 돌을 옮겨 놓으라고 명령하십니다. 그리고 사람들에게 나사로를 살리라고 명령하지 않으시고 친히 그를 살리십니다.

여기서 우리는 예수님이 하시는 일과 사람이 하는 일이 다름을 알 수 있습니다. 예수님은 무덤 앞에 놓인 무거운 돌을 제거하라고 명령하십니다. 그 일은 사람이 해야 할 일입니다. 우리는 예수님이 기적을 행하시도록 장애물을 제거해야 합니다.

둘째, 예수님이 무덤의 문을 막고 있는 돌을 옮겨 놓으라고 명령하시자 마르다가 걱정합니다. "무덤 안의 시체가 4일이나 지나서 심한 악취가 날 텐데, 주님이 왜 저러시나" 하고 근심한 것입니다.

마르다는 마음이 편안할 때는 예수님을 생각하지만, 마음이 급해지면 잊어버립니다. 그녀는 인간적인 믿음을 가졌다가 예수님을 만난 뒤에 부활과 생명의 믿음으로 바뀌었습니다. 하지만 온전히 바뀐 것은 아닙니다.

우리 주변에서 성령을 받고 "할렐루야"를 외치며 철야하고 금식 기도하는 사람이 있다고 해서 그 사람이 온전히 변화했다고 할 수는 없습니다. 겉으로 조금 변했을지 몰라도 속으로 들어가면 아직도 찌꺼기가 남아 있습니다. 옛날의 인간적 분노나 생각 등이 남아 있기 때문입니다. 마르다를 통해 겉으로는 평안해 보여도 내면에는 해결되지 않은 불순종의 잔재가 남아 있다는 사실을 알 수 있습니다.

마르다는 "주여, 제가 믿습니다"라고 고백한 후에 태도나 말하는 것이 달라졌지만, 나사로의 무덤 앞에 서자 금세 옛날로 돌아갑니다. 돌을 옮겨 놓으라는 예수님의 명령에 감히 맞서지는 못하지만, 그녀의 마음속에는 인간적인 염려와 미련이 일어나고 있습니다.

부활의 소망으로 기쁨을 노래하라

예수님이 마르다의 염려를 눈치채시고, 아주 귀한 영적 진리를 가르쳐 주십니다.

> 예수께서 말씀하셨습니다. "네가 믿으면 하나님의 영광을 볼 것이라고 내가 네게 말하지 않았느냐?"(요 11:40).

예수님은 앞서 나사로의 병이 죽을병이 아니며 이것은 하나님의 영광을 위한 것이요, 이 일을 통해 하나님의 아들이 영광을 받게 될 것(요 11:4)이라고 말씀하셨는데, 이 말씀을 다시 상기시키십니다. 우리가 인간적인 믿음으로 다시 돌아가곤 하는 것은 순간적으로 영적 원리를 믿지 않기 때문입니다.

영적 원리란 "믿으면 하나님의 영광을 본다"는 것입니다. 그러나 사람들은 "하나님의 영광을 보여 주면 믿겠다"고 말합니다. 보고 믿겠다는 것은 인간적인 믿음이며 거듭나지 않은 믿음이고, 마르다의 믿음입니다. 예수님은 분명히 말씀하십니다. "믿으면 하나님의 영광을 경험하게 되리라"는 것입니다.

우리는 자라온 환경이나 교육, 경험, 사상 등에 비춰 합당해야만 믿을 수 있다는 생각으로 가득합니다. 그러나 예수님은 단도직입적으로 "네가 나의 말을 믿으면 하나님의 영광을 보리라"고 약속하십니다.

이런 면에서 믿음은 이성이 아니라 은혜의 산물입니다. 믿음은 하나님이 주시는 선물입니다. 믿음은 우리가 가지려 애쓴다고 해서 얻어지는 게 아닙니다. 하나님 앞에서 겸손히 은혜를 구할 때 믿음을 선물로 받을 수 있습니다. 성경 말씀을 읽고 연구하며 모든 노력을 동원한다고 해서 저절로 믿음이 생기는 것은 아닙니다. 믿음은 이성의 산물이 아니라 하나님의 선물입니다. 따라서 우리는 하나님께 "믿음이 없습니다. 인간적인 생각으로 인해 믿음이 생기지 않습니다. 하나님의 은혜로 믿음을 허락해 주십시오"라고 간구해야 합니다.

인간적인 믿음은 상대방에게 상처를 줄 수 있지만, 성령님으로 말미암아 믿음은 겸손하고 은혜로우며 서로에게 덕을 끼치고 축복을 나눕니다.

교회에서의 봉사 활동도 마찬가지입니다. 인간적인 믿음으로 하는 봉사는 시끄럽습니다. 그런 사람의 특징은 한마디로 무조건 열심히 한다는 것입니다. 하지만 그 열심에는 인간의 의지나 비교, 경쟁, 시기심 등이 들어 있습니다. 따라서 결과적으로 서로 상처를 주고받으며 활력을 잃어버리고 항상 피곤할 뿐입니다.

하나님께 겸손히 간구해 얻은 은혜의 믿음은 모든 사람에게 기적을 일으키며 축복이 됩니다. 우리 믿음이 하나님이 주신 선물이요 은혜이기를 축원합니다.

마르다는 인간적인 믿음으로 흐르다가 예수님의 말씀을 듣는 순간에 영적 믿음으로 돌아옵니다. 하지만 어떤 사람은 오랜 시간이 흘러도 돌아오지 않습니다. 예수님이 말씀하시면 금방 믿음의 자리로 돌아올 수 있어야 합니다.

다행히도 마르다는 예수님의 말씀을 듣고 자기 생각을 속히 버리고 무덤을 가로막고 있던 돌을 옮겨 놓습니다.

사람들은 돌을 옮겨 놓았습니다. 예수께서 하늘을 우러러보시고 말씀하셨습니다. "아버지여, 아버지께서 내 말을 들어주신 것을 감사드립니다"(요 11:41).

믿음이란 자기 수정이요 결단이며 행동입니다. 사람들이 나사로의 무덤을 막고 있던 돌을 옮겨 놓자 예수님은 하늘을 우러러보며 중보 기도를 하십니다.

"아버지여, 아버지께서 내 말을 들어주신 것을 감사드립니다."

기적이 베풀어지기 전에 중보 기도가 있어야 한다는 사실을 깨닫습니다. 믿음의 기도가 있고, 감사 기도가 있음을 알 수 있습니다.

"아버지께서는 언제나 내 말을 들어주신다는 것을 내가 압니다. 그러나 지금 이렇게 말하는 것은 여기 둘러 서 있는 사람들을 위해서입니다. 아버지께서 나를 보내셨다는 것을 그들로 하여금 믿게 하려는 것입니다." 예수께서 이렇게 말씀하시고 큰 소리로 외치셨습니다. "나사로야! 나오너라!" 죽었던 나사로가 나왔습니다. 그의 손발은 베에 감겨 있었고 얼굴은 천으로 싸여 있었습니다. 예수께서 그들에게 말씀하셨습니다. "그를 풀어 주어 다닐 수 있게 하라"(요 11:42- 44).

예수님은 나사로의 무덤 앞에서 세 가지를 명령하십니다. "돌문을 옮겨 놓아라, 나사로야 나오너라, 수건을 풀어 주어 다닐 수 있게 하라"입니다. 무덤의 입구를 막은 돌을 옮겨 놓는 일은 사람의 몫입니다. 그리고 나사로를 살리는 일은 예수님의 몫입니다. 여기에 구원의 놀라운 그림이 있습니다. 우리가 어떤 장애물을 제거하면, 예수님이 죽은 사람을 살리십니다. 그러면 우리는 살아난 사람의 족쇄를 풀어 자유롭게 다니도록 해 주어야 합니다.

죽은 나사로가 살아났습니다. 그러나 우리는 한 가지 사실을 기억해야 합니다. 나사로가 다시 살아났다고 해서 모든 사람이 죽음에서 살아난 것은 아니라는 사실입니다. 예수님은 병자들을 치유해 주셨지만 모든 병자를 치유해 주시지는 않았습니다. 예수님이 죽은 사람을 모두 살리시거나 병자들을 모두 치유해 주시지는 않았다는 사실을 기억해야 합니다. 예수님은 죽은 자를 살리실 수 있지만, 그냥 죽게 내버려 두실 수도 있습니다.

예수님의 초월적인 역사가 모든 사람에게 일어나는 것은 아닙니다. 하지만 분명한 것은 예수님은 죽은 자를 살리시고, 병든 자를 치유하시는 절대 주권자이시라는 사실입니다. 예수님은 하나님의 아들이십니다.

예수님이 베푸신 기적으로 죽은 나사로가 살아났습니다. 그러나 다시 살아난 나사로도 훗날 죽음을 피하지 못했습니다. 그는 죽음을 두 번이나 경험한 셈입니다. 얼마나 오래 사는가는 중요한 문제가 아닙니다. 죽더라도 언젠가는 부활하리라는 믿음과 소망이 중요합니다. 이것이 놀라운 영적 진리입니다. 죽음의 권세를 이기신 예수님을 믿고 그분 앞에 나아갈 때, 우리는 부활의 기쁨을 노래할 수 있습니다.

13

살리심을 입고
십자가에 가까이 가십니까?

요한복음 11:45-57

같은 기적을 목격하고도 서로 다르게 반응하다

세상에는 두 부류의 사람이 있습니다. 무슨 일을 만나든지 항상 밝고 긍정적이며 미래 지향적으로 사는 사람과 항상 어둡고 부정적이며 과거 지향적으로 사는 사람입니다. 긍정적인 사람은 고난이나 슬픔을 당해도 좋은 방향으로 해석하고 희망적으로 받아들입니다. 반면에 부정적인 사람은 기쁨이나 행복이 와도 나쁜 쪽으로 해석하고 절망적으로 받아들입니다.

하나님을 믿고 예수님께 의지하는 사람은 전자에 속합니다. 하나님을 믿고 구원을 받아 성령님 안에 거한다면 긍정적이고 적극적으로 사는 것이 정상입니다. 긍정적인 생각은 믿음을 낳고 믿음은 죽음마저 두려워하지 않게 합니다.

예수님이 죽은 나사로를 살리셨습니다. 예수님의 말씀으로 말미암아 나흘 동안 무덤 안에 있던 시신이 다시 일어난 것입니다.

나사로가 살아날 수 있었던 것은 예수님이 다음 세 가지를 명령하셨기 때문입니다.

첫째, 예수님은 나사로의 무덤 입구를 막고 있는 돌을 보시고 "옮겨 놓으라"고 명령하셨습니다. 하나님은 기적을 일으키실 때 장애물부터 먼저 제거하십니다. 그래서 무덤 입구의 돌을 옮겨 놓으라고 명령하신 것입니다.

나사로의 무덤에 함께 온 사람들은 예수님의 말씀을 듣지 않으려고 했습니다. 왜냐하면 죽은 자가 살아난다는 것은 불가능한 일이라고 생각하기 때문입니다. 그러나 믿음의 사람은 예수님의 말씀에 항상 귀를 열어야 합니다.

하나님은 오늘날 우리에게도 기적을 베풀어 주시고, 복을 주기를 원하십니다. 그러나 우리 앞을 가로막는 장애물이 있다면, 그것부터 치우라고 말씀하십니다. 우리는 즉시 장애물을 치워야 합니다.

주님이 주시는 복을 받는 사람의 집을 방문해 보면 항상 깨끗합니다. 자신이 축복을 받을 줄 알고 있기 때문입니다. 가난하고 힘들게 살아도 자세가 흐트러뜨리지 않으며 긍지를 잃지 않습니다. 자신이 주님의 복을 받은 사람임을 아는 영적 자세가 필요합니다. 그래서 항상 밝고 긍정적이며 미래 지향적으로 살아가야 합니다.

둘째, 사람들이 무덤 입구의 돌을 옮겨 놓자 예수님이 무덤을 향해 큰 소리로 "나사로야! 나오너라" 하고 명령하십니다. 곧 죽음의 권세를 향해 큰 소리로 명령하신 것입니다. 그러자 놀랍게도 죽었던 나사로가 살아나 무덤에서 걸어 나왔습니다. 하나님이 기적을 일으키신 것입니다.

하나님이 기적을 일으키실 수 있도록, 믿음으로 장애물을 제거하고 나면, 주님이 우리 안에 있는 어둠의 세력에게 명령하십니다. "더러운 귀신들아, 어둠의 세력들아, 물러가라!"

예수님이 명령하실 때 모든 저주가 떠나갈 수밖에 없습니다. 나사로한테서 어둠의 세력들이 떠나자 그가 걸어서 무덤 밖으로 나옵니다.

셋째, 죽은 나사로가 손발을 베에 감긴 채로 걸어 나오자 예수님은 그의 얼굴이 천으로 싸인 것을 보시고 "풀어 주어 다닐 수 있게 하라"고 명령하십니다. 우리는 구원을 받았지만 아직도 세상의 습관이나 문화나 가치관에 얽매여 있습니다. 이런 것들을 끊어 버리고 믿음의 사람으로서 당당하게 세상에 나와 빛과 소금의 사명을 다해야 합니다.

죽어서 나흘간 무덤에 있던 나사로가 무덤 밖으로 걸어 나오자 주변에 있던 많은 사람이 큰 충격을 받았습니다. 나사로의 부활을 목격한 사람들은 "예수님은 정말로 특별한 분이구나. 죽음의 권세를 깨뜨리는 하나님의 아들이시구나" 하며 놀랐을 것입니다.

그런데 본문을 들여다보면 모든 사람이 그렇게 생각한 것은 아님을 알 수 있습니다. 나사로의 부활을 지켜본 사람들의 반응은 대개 세 가지로 구분할 수 있습니다.

첫째, 마리아를 찾아왔다가 기적을 보고, 예수님을 영접하는 은혜를 받은 사람들이 있습니다.

> 마리아에게 왔던 많은 유대 사람들이 예수께서 하신 일을 보고 예수를 믿게 됐습니다(요 11:45).

그들은 정말로 놀라운 일을 목격했습니다. 죽은 사람이 살아난다는 것은 인간의 이성으로는 불가능한 일입니다. 하지만 죽었던 나사로가 분명히 다시 살아나 얼굴에 천이 감긴 채로 무덤 밖으로 걸어 나왔습니다.

신앙에는 이성의 요소와 믿음의 요소가 있습니다. 우리는 신앙의 현상에 관해 이성적으로 받아들이려는 경향이 있습니다. 하지만 이성의 요소가 신앙의 전부는 아닙니다. 이성적 작용으로 사람이 변화되지는 않습니다. 이성의 문을 통과하면, 하나님의 영이 사로잡습니다. 그래서 우리가 구원받는 것입니다. 사람의 이성이나 상식으로는 나사로의 부활을 믿을 수 없습니다.

기적의 현장을 목격한 많은 사람이 예수님을 믿기로 결심합니다. 그러나 그곳에 있던 모든 사람이 예수님을 믿게 된 것은 아닙니다.

둘째, 나사로의 부활을 목격한 사람들 중의 일부가 바리새파 사람들에게 가서 예수님이 행하신 일들을 보고합니다.

그러나 그중 몇몇 사람은 바리새파 사람들에게 가서 예수께서 하신 일을 알려 주었습니다(요 11:46).

바리새파 사람들은 예수님을 환영하지 않았습니다. 그들은 예수님을 붙잡아 죽이려고 했습니다. 예수님이 베푸시는 기적과 능력을 몹시 불편해했습니다. 나사로가 죽음에서 다시 살아나자 사람들이 바리새파 사람들을 찾아가 보고한 것도 그들에게 부정적인 생각이 가득했기 때문입니다. 당시 유대 사람들은 사회적으로 높은 지위에 있던 바리새파 사람들의 눈치를 보곤 했습니다.

그들은 바리새파 사람들을 찾아가 예수님이 행하신 기적을 보고하면서도 사실대로 말하지 않고 축소 보고했을 겁니다. 아니면 바리새파 사람들의 비위를 맞추려고 예수님에 관해 빈정대듯이 말했을 것입니다. 어쨌든 그들은 예수님의 기적을 부정할 수는 없지만, 그렇다고 적극적으로 믿으려고 하지도 않는 회의적인 사람들이었습니다.

셋째, 기적을 전해 들은 대제사장들과 바리새파 사람들은 예수님에 관한 문제를 처리하기 위해 공회를 소집합니다.

> 그러자 대제사장들과 바리새파 사람들은 공회를 소집해 말했습니다. "이 사람이 많은 표적들을 행하고 있으니 우리가 어떻게 하면 좋겠습니까? 만약 이대로 내버려두었다가는 모든 사람이 그를 믿게 될 것입니다. 그러면 로마 사람들이 와서 우리의 땅과 민족을 빼앗아 버릴 것입니다"(요 11:47-48).

그들은 예수님이 죽은 나사로를 살리신 것에는 관심이 없습니다. 물론, 예수님이 하나님의 아들이신 것에도 관심이 없었습니다.

그들은 공회를 소집하여 "예수라는 작자가 큰 기적을 행하니 아주 골치 아프다. 그가 기적을 많이 행할수록 사람들이 그를 믿고 따를 텐데, 종교적으로 큰 위기를 초래하고 말 것"이라고 진단합니다. 다시 말해서, 예수님이 병자들을 고치고 귀신을 쫓아내며 죽은 사람을 살리시는 바람에 유대교의 질서가 무너지고, 자기들의 기득권이 송두리째 흔들린다고 생각한 것입니다.

그들은 진리에는 관심이 없습니다. 오로지 기득권 유지에만 관심이 있습니다. 대제사장들과 바리새파 사람들의 관심은 정치적인 것입니다. 당시에 그들은 로마에서 분할 통치권을 위임받아 유대 백성을 통치하고 있었는데, 만약 사회 질서가 뒤집히기라도 하면 자신들의 입지가 약화될 것을 염려한 것입니다. 이것은 예수님에 관한 회의적이고 부정적인 생각과는 다른 차원입니다. 대제사장들과 바리새파 사람들은 예수님을 잡아다 죽여야만 안심할 수 있었습니다.

섭리 가운데 뜻을 이루시는 하나님을 보라

세 부류 가운데 우리는 어느 부류에 속할까요? 물론, 세 번째 부류가 아님은 분명합니다. 우리는 이미 예수님을 만났기 때문입니다. 그리스도인은 예수님이 하나님의 아들로서 이 땅에 오셔서 인간을 구원하신 분이며 우리 삶의 의미와 목적이 되시는 주님임을 고백한 사람들입니다. 이런 고백이 있어야만 축복받은 첫 번째 부류에 속할 수 있습니다.

부정적이고 회의적인 생각으로 가득 찬 유대 사람들은 기적을 목격하고도 예수님을 믿지 않습니다. 교회에 나오지만 구원의 확신이 없는 사람들과 별반 다르지 않습니다. 그런 사람은 한 발은 세상에, 한 발은 교회에 두고 있는 꼴입니다. 예배에 참석하지만 이중적인 삶의 태도로 언제나 괴로워합니다.

이런 사람들에게는 성령의 도움이 필요합니다. 지금 이 순간 모든 사람에게 성령 세례가 임하기를 축원합니다. 십자가의 사랑을 체험할 수 있기를 기도합니다. 유대의 대제사장들이나 바리새파 사람들처럼 진리에는 관심이 없고, 오로지 정치적·경제적 목적으로 예수님을 이리저리 저울질하는 사람은 속히 회개해야 합니다.

> 그러자 그중 가야바라는 그해의 대제사장이 말했습니다. "당신들은 아무것도 모르고 있소! 한 사람이 백성들을 위해 죽어서 민족 전체가 망하지 않는 것이 당신들에게 유익한 줄을 깨닫지 못하고 있소"(요 11:49-50).

그해 대제사장인 가야바가 예상 밖의 예언을 합니다. 대제사장들과 바리새파 사람들에게는 불리하지만, 예수님에게는 유리한 내용의 예언입니다.

이 말은 가야바가 스스로 한 것이 아니라 그해의 대제사장으로서 예수께서 유대 민족을 위해 죽게 될 것을 예언한 것이었습니다. 또한 유대 민족뿐만 아니라 흩어진 하나님의 자녀들을 모아 하나 되게 하기 위해 죽으실 것을 예언한 것이었습니다(요 11:51-52).

이 구절을 주의 깊게 묵상할 필요가 있습니다. 여기서 두 가지 사실을 발견합니다. 하나는 이 말은 가야바가 스스로 한 것이 아니라는 점입니다. 또 하나는 예수님이 죽으실 것을 미리 말했다는 점입니다. 두 구절에는 예언적 성격이 강하게 나타나 있습니다.

여기서 우리는 악한 자를 통해서도 예언이 일어남을 알 수 있습니다. 본디오 빌라도의 아내도 밤에 꿈을 꾸고, 그 내용을 남편에게 전달했습니다. 역설적으로, 불신자나 안티 그리스도인을 통해서도 하나님의 예언이 선포될 수 있습니다. 빌라도는 사탄의 역사와 유대 사람들의 요구대로 예수님을 십자가 처형에 내어 주었지만, 그로 말미암아 온 인류가 구원받는 하나님의 뜻을 이루었습니다. 하나님의 섭리는 오묘하고 신비합니다.

가야바의 돌발적인 예언이 대제사장들과 바리새파 사람들로 하여금 예수님을 잡아 죽이려는 음모를 꾸미게끔 결정적인 동기를 부여합니다.

그날로부터 그들은 예수를 죽이려고 음모를 꾸몄습니다(요 11:53).

모든 사건의 이면에는 음모가 있기 마련입니다. 정말로 우연히 이루어진 사건도 있지만, 대부분의 사건은 우연을 가장한 치밀한 음모가 뒤에 숨어 있습니다. 기막힌 음모일수록 더욱 우연을 가장합니다.

예수님의 십자가 처형 뒤에는 대제사장들과 바리새파 사람들의 조직적인 음모가 있었습니다. 그들은 어떻게 하면 예수님을 붙잡아다가 죽일 수 있을까 하고 고심했습니다. 그들은 자기 뜻을 이루기 위해 대중을 선동했으며 심지어 빌라도 총독까지도 협박했습니다.

반기독교 세력을 대하시는 예수님을 보라

인터넷에서 음란물 사이트가 독버섯처럼 번지고 있다고 합니다. 그리고 반기독교 사이트도 많아지고 있습니다. 사회에서는 교회를 비판하는 목소리가 날로 높아지고 있습니다. 반기독교 사이트가 부단히 작업한 결과입니다. 그들은 "기독교를 파멸하자. 이 땅에서 교회를 몰아내자. 교회는 민족의 적이다"라고 주장하며 무서운 기세로 공격합니다. 기독교가 말살될 때까지 투쟁을 계속하겠다고 선언합니다. 반기독교 사이트들이 연대해서 성경 진리에 정면으로 대항하기도 합니다. 그들은 예수님이 하나님의 독생자요 온 인류의 구원자이시며 이 시대에 기적을 베푸시는 유일한 희망이시라는 진리를 전면 부인합니다.

이 같은 반기독교 세력에 대해 예수님은 이렇게 대처하십니다.

그래서 예수께서는 유대 사람들 가운데 더 이상 드러나게 다니지 않으셨습니다. 거기에서 떠나 광야 가까이에 있는 에브라임이라는 마을로 가서 제자들과 함께 머무르셨습니다(요 11:54).

예수님은 험악한 사회 분위기에서 한 발 물러서십니다. 젊은 세대는 예수님이 강하게 대응해 주시기를 기대하겠지만, 예수님은 그렇게 하시지 않습니다. 왜냐하면 예수님에게는 '십자가'라는 중요한 목표가 따로 있으시기 때문입니다. 예수님의 목표는 대제사장들이나 바리새파 사람들과 맞서 싸우는 것이 아니라 십자가를 지는 것입니다. 그래서 예수님은 투쟁하거나 혁명을 일으키지 않으시고 십자가를 지기까지 침묵하셨습니다. 그럼으로써 훗날 사랑과 용서를 베푸는 복음의 혁명이 일어나리라는 것을 아셨기 때문입니다.

유대 사람의 유월절이 다가오자 많은 사람들이 유월절이 되기도 전에 자신의 몸을 정결하게 하려고 시골로부터 예루살렘에 올라왔습니다(요 11:55).

유대의 유월절을 맞아 많은 사람이 성결 의식을 치르려고 원근 각처에서 예루살렘으로 몰려들었습니다. 그들이 예수님의 행방을 궁금해 하며 찾습니다.

사람들은 예수를 찾으면서 성전에 서서 서로 말했습니다. "어떻게 생각하시오? 그분이 유월절에 오시지 않겠소?"(요 11:56).

그들은 예수님이 유월절을 맞아 예루살렘에 모습을 나타내실 것으로 생각했습니다. 예수님의 설교가 듣고 싶어서가 아니라 다른 이유에서 예수님을 찾은 것입니다.

그러나 대제사장들과 바리새파 사람들은 예수를 붙잡으려고 누구든지 예수께서 계신 곳을 알면 반드시 자기들에게 알려야 한다는 명령을 내렸습니다(요 11:57).

바로 대제사장들과 바리새파 사람들이 예수님을 체포하라는 명령을 내렸기 때문입니다.

죽은 나사로를 살리신 예수 그리스도를 잡아다 죽이려고 음모를 꾸미는 세력이 있다는 사실에 새삼 놀랍니다. 이런 악한 세력이 오늘날에도 우리에게 악영향을 끼치고 있습니다.

21세기 한국 교회는 여러 가지로 위기 상황을 맞이하고 있습니다. 반기독교 세력들에게 공격받고 있는 한국 교회가 어떻게 하면 위기에서 벗어날 수 있을까요? 본문 말씀을 근거로 그 방법을 세 가지로 요약할 수 있습니다. 한국 교회가 위기에서 벗어나려면, 첫째, 부활 신앙을 회복해야 합니다. 그러면 어떤 압력이나 공격이나 위기가 닥쳐도 이겨 낼 수 있습니다.

둘째, 체험 신앙이 있어야 합니다. 도덕이나 윤리로 세상을 구원할 수는 없습니다. 복음의 진리를 체험하는 신앙만이 세상을 구원할 수 있습니다. 인간의 이성이나 지식이나 정보로는 세상을 구원할 수 없습니다. 복음의 능력을 체험한 신앙으로만이 세상을 구원할 수 있습니다.

셋째, 순교 신앙이 있어야 합니다. 이제 우리는 순교를 결심해야 합니다. 우리 시대는 순교자를 필요로 합니다. 그만큼 물질문명과 영적으로 예민하게 싸워야 하는 시대가 되었습니다. 지금 시대에는 예수님을 적당히 믿어서는 난관을 결코 헤쳐 나갈 수 없습니다. 생명을 걸고 예수님을 믿을 때, 세상을 변화시킬 수 있습니다.

한국 교회의 모든 성도가 부활 신앙을 회복하고, 체험 신앙을 추구하며 순교를 결단하는 신앙을 갖게 되기를 축원합니다.

4부

그 사랑, 나를 위해 죽으시네

요한복음 12:1-50

우리가 이 땅의 생명을 포기하면,
하나님은 우리에게 영원한 생명을 주십니다.
땅의 복이 아닌 하늘의 복을, 순간적 복이 아닌 영원한 복을,
외형적인 복이 아닌 내면적인 복을 허락해 주십니다.
한 알의 밀이 땅에 떨어져 죽으면 많은 열매를 맺게 되듯이 말입니다.

14

내가 가진 전부를
아낌없이 드립니다

요한복음 12:1-8

주님께 가까이 다가가면 갈수록 영적인 통찰력이 강해진다

이번 장에서 다룰 사건은 예수님에게 일어났던 많은 사건 가운데 가장 감동적이며 기억에 남을 만한 사건입니다. 마태복음 26장과 마가복음 14장에도 똑같은 장면이 기록되어 있습니다.

> 내가 진실로 너희에게 말한다. 온 세상 어디든지 복음이 전파되는 곳마다 이 여인이 한 일도 전해져서 사람들이 이 여인을 기억하게 될 것이다(마 26:13; 막 14:9).

예수님이 특별히 말씀하실 만큼 이 사건은 의미 있고 감동적입니다. 험난한 인생을 사는 동안에 감동을 주는 사람을 만난다는 것은 큰 축복입니다. 또 감동적인 사건을 경험하는 것도 큰 축복입니다. 예수님이 이 사건을 중요하게 말씀하시는 이유는 여인이 옥합을 깨뜨려 지극히 비싼 향유를 쏟아부은 것도 놀라운 일이지만, 그녀가 영적 통찰력을 발휘해 예수님의 십자가 죽음을 준비하고 있기 때문입니다. 여기에 영적 감동이 있습니다.

유월절이 시작되기 6일 전에 예수께서 베다니에 도착하셨습니다.

그곳은 예수께서 죽은 사람 가운데서 다시 살리신 나사로가 사는 곳이었습니다(요 12:1).

사건이 일어난 때는 유월절이 시작되기 엿새 전입니다. 앞서 대제사장들과 바리새파 사람들은 예수님을 체포할 것을 공개적으로 지시했습니다(요 11:57). 유월절을 맞아 예수님이 예루살렘으로 오시리라고 생각한 것입니다.

예수님은 제자들에게 최후의 만찬을 베푸십니다. 그러고 나서 겟세마네 동산에 올라가 기도하십니다. 이때 가룟 유다와 로마 군인들이 예수님을 체포하러 들이닥칩니다. 한밤중에 심문이 벌어집니다. 당시 로마법은 일몰 후에는 심문을 못하도록 규정했지만, 불법으로 심문한 것입니다. 그리고 바로 그다음 날에 예수님에게 십자가형을 선고합니다.

그래서 유월절 엿새 전에 있었던 사건이 중요합니다. 마리아는 예수님에게 향유를 부음으로써 십자가 죽음을 예비했습니다. 이것이 이 사건의 가장 큰 의의입니다.

예수님은 유월절 엿새 전에 베다니에 도착하십니다. 예수님이 죽은 사람 가운데서 다시 살리신 나사로가 사는 곳입니다. 그래서 예수님이 나사로의 집에 머무셨다고 생각할 수 있지만, 마태복음과 마가복음은 나병에 걸렸다가 고침을 받은 시몬의 집에 계셨다고 기록하고 있습니다.

그곳에서 예수를 위해 잔치를 베풀었습니다. 마르다는 음식을 날랐고 나사로는 예수와 함께 음식을 먹고 있는 사람들 가운데 함께 있었습니다(요 12:2).

예수님이 베다니에 오신 것을 환영하는 잔치가 시몬의 집에서 열렸기 때문에 나사로와 마리아와 마르다가 찾아왔습니다. 시몬은 나병을 고침 받은 감동이 있었고, 나사로는 죽었다가 다시 살아난 기적을 경험했으니 더 깊은 감동이 있었을 것입니다. 예수님은 그들을 심방하러 오셨고, 그들은 기쁜 마음으로 예수님을 환영했습니다.

여기서 신중하게 봐야 할 것이 있습니다. 시몬의 집에서 잔치가 있기 전에 이미 예수님을 체포하라는 명령이 공개적으로 내려졌다는 사실입니다. 체포 명령과 잔치 사이에 괴리감과 함께 긴장감이 느껴집니다. 베다니 마을 사람들은 예수님을 체포하라는 명령이 내려진 것을 알고 있었기에 마음이 편치만은 않았을 것입니다.

본문에서 흥미로운 점을 발견합니다. 예수님을 찾아온 나사로 남매가 각각 어느 자리에 있는지를 한번 살펴보십시오. 마르다는 잔치 음식을 나르고 있고, 나사로는 예수님과 함께 음식을 먹고 있습니다. 그리고 마리아는 어디에선가 나타나 예수님의 발 가까이 다가앉았습니다.

그때 마리아가 매우 값비싼 향유인 순수한 나드 1리트라를 가져다가 예수의 발에 붓고 자기 머리털로 예수의 발을 닦아 드렸습니다. 집안은 온통 향내로 가득했습니다(요 12:3).

이들 남매는 모두 예수님을 사랑했습니다. 그런데 그들이 예수님을 위해 하는 행동이나 예수님 곁에 머무는 방식은 각기 다릅니다. 언제나처럼 마르다는 일하느라 분주하고, 나사로는 예수님과 함께 앉아 있으며 마리아는 예수님께 가까이 다가가고 있습니다.

여기서 우리는 중요한 영적 교훈과 마리아의 영적 통찰력을 발견합니다. 마리아는 예수님의 발 앞에 앉을 만큼 영적 통찰력이 뛰어났습니다.

우리도 예수님을 사랑합니다. 그런데 예수님과 우리 사이에 거리가 있다는 것이 문제입니다. 우리는 주님과 일정 거리를 유지한 채로 왔다 갔다 하곤 합니다. 마리아는 예수님과의 사이에 거리를 두지 않고 밀착합니다.

성경에는 마리아에 관한 기록이 많습니다. 누가복음 10장을 보면, 나사로의 부활 사건이 있기 전에 예수님이 나사로의 집을 방문하셨는데, 그때도 마르다는 예수님께 대접할 음식을 준비하느라 분주했지만, 마리아는 예수님 곁에 앉아 말씀을 들었습니다. 그래서 마르다가 화를 내며 예수님에게 동생을 나무래 달라고 청하기까지 했습니다.

주여, 제 동생이 저한테만 일을 떠맡겼는데 왜 신경도 안 쓰십니까? 저를 좀 거들어 주라고 말씀해 주십시오!(눅 10:40b).

마르다의 신경질적인 반응에 예수님이 온화하게 말씀하십니다.

마르다야, 마르다야, 너는 많은 일로 염려하며 정신이 없구나. 그러나 꼭 필요한 것은 한 가지뿐이다. 마리아는 좋은 것을 선택했으니 결코 빼앗기지 않을 것이다(눅 10:41-42).

나사로가 죽은 뒤에 마르다와 마리아가 예수님을 만났습니다. 마르다는 예수님을 보고 달려가서 "주여, 조금만 일찍 오셨더라면 저희 오빠가 죽지 않았을 것입니다"라고 말했지만, 마리아는 보이지 않았습니다. 그러자 예수님이 "네 동생 마리아는 어디에 있느냐?"고 물으셨고, 그때서야 마리아가 급히 예수님을 찾아옵니다.

성경은 마리아가 "예수께서 계신 곳에 이르러 예수를 보자 그 발 앞에 엎드려"(요 11:32a) 말했다고 기록하고 있습니다. 마리아는 예수님 발 앞에 엎드려 울었습니다. 그리고 마르다와 똑같은 말을 합니다. "주여, 주께서 여기 계셨더라면 저희 오빠는 죽지 않았을 것입니다"(요 11:32b).

마르다와 마리아가 하는 말은 같았지만, 행동은 서로 달랐습니다. 마르다는 예수님을 보자마자 이야기했고, 마리아는 무릎을 꿇고 이야기했습니다.

세 가지 사건에서 마리아는 모두 예수님의 발 앞에 엎드리며 주님께 가까이 나아가는 모습을 보여 줍니다.

사랑하면 아낌없이 부을 수 있다

승리하는 신앙생활을 하려면, 예수님과 거리를 두지 말고 밀착해야 합니다. 여기에 영적 승리의 비결이 있기 때문입니다. 후방에서 어슬렁거리지 말고, 예배하고 찬송하고 기도할 때 최전방에서 주님께 가까이 나아가십시오. 철야 기도나 새벽 기도를 열심히 하고 아웃리치도 떠나십시오. 이런 것들을 하면, 그 시간만큼은 주님과 밀착하게 되기 때문입니다.

사탄의 시험에 들지 않는 분명한 방법이 있습니다. 성경 말씀과 기도와 찬양을 가까이하면 됩니다. 예수님과 거리를 두지 않는 것이 비결입니다. 언제 어디서나 예수님을 생각할 수 있도록 주님께 밀착하는 삶을 사십시오. 이것이 영적 통찰력입니다.

마리아는 예수님 발 앞에 밀착해 있습니다. 지극히 비싼 나드 1리트라를 준비해 뒀다가 예수님의 발에 붓고 자신의 머리털로 닦습니다. 마리아의 행동은 모든 사람에게 충격을 주었습니다. 누구도 생각하지 못한 일이기 때문입니다. 그런데 가만히 살펴보니, 마리아가 말없이 눈물을 흘리고 있습니다.

본문 말씀에서 세 가지 메시지를 찾아볼 수 있습니다.

첫째, 마리아가 향유를 미리 준비했다는 것입니다. 그녀가 값비싼 나드 1리트라를 갑자기 가져와 예수님의 발에 부은 것이 아닙니다. 당시에 나드는 미리 준비해 두지 않으면 가져올 수 없을 정도로 귀한 것이었습니다. 아마도 꽤 오래전부터 준비해 왔을 것입니다. 이렇게 생각하는 데는 이유가 있습니다. 마리아의 행동을 보고 가룟 유다가 저 향유를 300데나리온에 팔아서 가난한 사람들에게 나눠 줬으면 얼마나 좋았겠느냐고 말했기 때문입니다.

성경을 보면, 당시 일꾼들에게 주어진 하루 품삯이 1데나리온쯤이었음을 알 수 있습니다(마 20:2). 그렇다면 300데나리온은 연봉에 해당합니다. 그만큼 비싼 향유를 예수님의 발에 부은 것으로 보아 갑자기 충동적으로 한 일이 아님을 짐작할 수 있습니다. 일 년치 연봉에 해당하는 돈을 한꺼번에 헌금하려면 오래전부터 계획을 세우지 않고는 힘듭니다. 마리아는 주님을 위해 사용하겠다는 마음으로 향유를 오랫동안 준비해 왔을 것입니다. 오랜 준비 끝에 예수님의 발에 나드 1리트라를 기꺼이 부을 수 있었습니다.

둘째, 마리아는 향유를 아낌없이 붓습니다. 먹고살기 힘든 때는 하나님께 적당히 드려도 되지 않을까 하는 생각이 들기도 합니다. 그러나 마리아는 그런 생각조차 하지 않았습니다. 그녀는 아낌없이 전부를 주님께 바쳤습니다.

셋째, 마리아는 비싼 향유를 예수님의 발에 부었습니다. 일반적으로 나드는 머리에 붓습니다. 그런데 마리아는 향유를 예수님의 발에 붓고, 수건 대신에 자기 머리칼로 발을 닦아 드립니다. 머리칼은 여자들이 자기 신체에서 특히 중요하게 여기는 부분인데 말입니다.

마리아가 얼마나 오랫동안 준비해 왔는지는 알 수 없지만, 그녀의 행동은 하나의 예배였으며, 영적 통찰력에서 나온 아낌없는 헌신이었습니다.

그러나 사람들은 그 의미를 알지 못했습니다. 제자들도, 주위에 있던 사람들도 전혀 몰랐습니다. 예수님만이 마리아의 통찰력을 꿰뚫어 보셨습니다.

군 시절에 만났던 한 하사관이 생각납니다. 군 복무 중에 폐결핵이 악화되어 마산에 있는 결핵 요양원으로 후송되어 치료를 받은 적이 있습니다. 그때 하사관 한 분이 있었는데, 예수님을 잘 믿는 사람이었습니다. 우리는 천막 교회에서 예배를 드리곤 했는데, 철야 기도를 많이 드렸습니다.

그는 토요일이면 강대상과 의자와 마루를 걸레로 꼼꼼히 닦곤 했습니다. 한두 시간을 꼬박 무릎을 꿇은 채로 열심히 청소했습니다. 내가 전역할 때까지 한 번도 청소를 거른 적이 없었습니다. 그래서 하루는 내가 "왜 그렇게 열심히 하십니까?" 하고 물어봤습니다. 그러자 그분이 수줍어하면서 "내가 좋아서 그냥 닦는 거예요"라고 대답했습니다. 나는 먼지 하나 없도록 열심히 쓸고 닦는 그의 모습에 감동하고 말았습니다.

어떤 성도는 주님이 늘 함께 계시므로 집 안 청소를 열심히 한다고 합니다. 나는 성도들이 교회 구석구석을 청소하며 주님과 교제하기를 바랍니다. 마리아가 자기 머리칼로 예수님의 발을 닦아 드렸듯이 누군가가 성전 모퉁이를 깨끗이 닦으면 좋겠습니다. 누가 시켜서가 아니라 다른 사람들에게 보여 주기 위해서가 아니라, 하사관이 토요일 저녁에 천막 교회를 깨끗이 청소했듯이 그저 좋아서 예수님의 몸 된 교회를 청소하기를 바랍니다.

그리스도인 두 사람이 여행을 떠났습니다. 한 사람은 신문을 들고 있고, 다른 한 사람은 성경을 들고 있었습니다. 둘이 기차를 타고 한참 달렸는데, 자리에 앉아 신문을 읽던 사람은 옆에서 성경을 읽는 사람을 보고 마음속으로 '나도 다음에는 성경을 읽어야지' 하고 생각했다고 합니다.

아침에 일어나자마자 신문을 집어 들거나 텔레비전을 켜는 사람들이 많습니다. 그런데 예수님을 묵상하고 그분 발 앞에 엎드리는 사람은 흔치 않습니다. 말로는 예수님을 사랑한다고 하면서도 일상생활에서 마리아처럼 예수님 가까이에 앉아 말씀 듣기를 즐기는 모습은 찾아보기 힘듭니다. 눈에 보이는 일은 잘하는데, 눈에 보이지 않는 일은 잘하지 않습니다.

매일 말씀을 가까이하고, 매 순간 주님에게 가까이 나아가는 삶을 살기를 축원합니다.

하나님이 감동하시는 사람

마리아가 예수님의 발에 나드를 붓자 집 안에 향이 가득해졌습니다. 사람들은 나드 향기가 어디서 나는 줄 몰랐습니다. 모두 두리번거리다가 한 여인이 예수님의 발에 향유를 붓고 자신의 머리털로 닦는 모습을 보게 되었습니다.

이처럼 영적 통찰력이 두드러져 보이는 사건을 접한 모든 사람이 박수를 치고 칭찬하지는 않습니다. 오히려 신경질적인 반응을 보이는 한 남자가 있었습니다. 그는 정의감과 도덕성이 투철하며 휴머니즘이 넘치는 사람입니다. 바로 가룟 유다입니다.

> 그때 제자들 중 하나이며 나중에 예수를 배반할 가룟 유다가 말했습니다. "왜 이 향유를 300데나리온에 팔아 가난한 사람들에게 주지 않고 낭비하는가?" 그가 이렇게 말한 것은 가난한 사람들을 생각해서가 아니었습니다. 그는 돈주머니를 맡고 있으면서 거기에 있는 돈을 훔쳐 가곤 했기 때문입니다(요 12:4-6).

그는 가난한 사람들을 떠올리며 향유를 낭비한 것에 정의로운 분노를 느꼈습니다. 적어도 말로는 그랬습니다. 당시 가룟 유다의 진실을 아는 사람은 아무도 없었습니다. 사람들이 그에 관해 아는 것은 휴머니즘과 박애주의가 넘치고, 정의감이 뛰어나 보인다는 것뿐이었습니다. 옳은 소리를 하는 사람을 보면 훌륭하다고 생각합니다. 가룟 유다의 말은 설득력 있게 들립니다.

그러나 그의 뒤에는 다른 얼굴이 있었습니다. 말은 그렇게 하면서도, 실제로는 다른 속셈이 있었던 것입니다. 정치적 목적과 이해관계에 얽힌 문제가 있었습니다. 많은 사람이 그의 말에 속아 넘어갔습니다. 멋들어지게 말하는 사람들은 자기가 하는 말처럼 자신을 스스로 멋진 사람이라고 착각한다는 특징이 있습니다.

가룟 유다의 선동적인 발언에 예수님이 이렇게 말씀하십니다.

> 예수께서 대답하셨습니다. "그대로 두어라. 이 여인은 내 장례 날을 위해 간직해 둔 향유를 쓴 것이다. 가난한 사람들은 항상 너희와 함께 있지만 나는 항상 너희와 함께 있는 것이 아니다"(요 12:7-8).

예수님은 마리아의 영적 통찰력을 꿰뚫어 보셨습니다. 그리고 우리의 영적 상태 역시 꿰뚫어 보십니다. 우리의 헌금하는 모습, 봉사하는 모습, 교회에 오는 모습을 보십니다.

예수님은 가룟 유다에 관해 모든 것을 아셨지만, 그를 강하게 몰아붙이지는 않으십니다. 다만 마리아는 예수님의 장례를 준비하는 셈이니 그냥 내버려두라고 말씀하십니다. 마태복음과 마가복음은 "온 세상 어디든지 복음이 전파되는 곳마다 이 여인이 한 일도 전해져서 사람들이 이 여인을 기억하게 될 것"(막 14:9)이라는 말씀이 덧붙입니다.

우리는 예수님을 잘 믿고, 제대로 섬길 줄 알아야 합니다. 때때로 마르다나 가롯 유다와 같은 방법으로 예수님을 섬길 수 있습니다. 또는 마리아처럼 섬길 수도 있습니다. 중요한 것은 예수님은 늘 마리아의 섬김에 초점을 맞추고 계시다는 사실입니다. 이것을 잊지 말아야 합니다.

15

종려나무 가지를
지르밟고 오소서

요한복음 12:9-16

누구나 영적으로 목마르다

예수님이 베다니에 계시다는 소문을 듣고 유대 사람들이 몰려듭니다. 예수님뿐 아니라 무덤에서 살아나왔다는 나사로도 보기 위해서였습니다.

> 유대 사람들의 큰 무리가 예수께서 베다니에 계시다는 것을 알고 몰려왔습니다. 이는 예수뿐 아니라 예수께서 죽은 사람 가운데서 살리신 나사로도 보기 위함이었습니다. 대제사장들은 나사로도 죽이려고 모의했습니다. 그것은 나사로 때문에 많은 유대 사람들이 떨어져 나가서 예수를 믿기 때문이었습니다(요 12:9-11).

이 말씀에서 세 가지 진리를 찾아볼 수 있습니다. 첫째, 진실은 숨겨지지 않는다는 것입니다. 둘째, 진실은 대가를 치러야 합니다. 때로 진실은 순교를 요구하기도 합니다. 셋째, 진실은 막대한 영향력을 발휘한다는 것입니다. 진실은 가만히 있어도 큰 영향력을 미칩니다. 한 사람, 한 집단, 한 시대에 영향을 끼치기 마련입니다.

나사로는 예수님을 믿으라고 말하지 않지만, 그가 죽음에서 부활한 사실만으로도 많은 유대 사람이 예수님을 하나님의 아들, 이스라엘의 구원자로 여기고, 예수님을 믿었습니다. 나사로는 살아 있는 증거였습니다. 나사로를 보는 사람은 누구나 그를 다시 살리신 예수님을 떠올릴 수밖에 없었습니다. 죽었던 나사로가 살아남으로써 많은 사람에게 큰 감동을 안겨 주었고, 그로 말미암아 그들 삶이 변화되었고, 그들이 하나님 나라의 축복을 누리게 되었습니다.

나를 만나는 사람마다 '하용조'를 생각하기보다 이 부족하고 형편없는 사람을 목사로 만들어 주시고 날마다 지켜 주시는 하나님을 떠올린다면 얼마나 좋겠습니까? 세상 사람이 그리스도인의 지위나 지성이나 사회적 신분을 보는 게 아니라 그가 그렇게 되도록 이끌어 주신 예수님을 본다면, 그 사람이 바로 나사로와 같은 존재입니다.

대학 시절에 성경을 읽으면서 큰 감동을 받았던 말씀이 바로 "나사로 때문에"입니다. 성경책에 빨간색 동그라미를 얼마나 많이 그렸는지 모릅니다. 성경은 "나사로 때문에" 예수님을 믿는 사람이 많았다고 말합니다. "'하용조 때문에' 예수님을 믿는 사람이 얼마나 될까?" 이것은 그때부터 지금까지 내 마음속을 떠나지 않고 맴도는 질문입니다.

다음 날 명절을 맞아 올라온 많은 사람들이 예수께서 예루살렘으로 오신다는 말을 듣고 종려나무 가지를 꺾어 들고 예수를 맞으러 나가 "호산나! 주의 이름으로 오시는 분에게 복이 있도다!" "이스라엘의 왕에게 복이 있도다!" 하고 외쳤습니다"(요 12:12-13).

예수님이 드디어 예루살렘에 입성하십니다. 예수님은 이 땅에서 33년을 사셨습니다. 그러나 30년간의 기록은 별로 없고, 공생애 3년의 기록이 대부분입니다. 그중 마지막 일 년의 기록이 가장 많습니다. 일 년 중에서도 십자가에서 죽으시기 전 일주일간의 기록이 가장 많습니다.

예수님이 예루살렘으로 입성하시는 사건은 예수님 생애의 절정에 해당하는 부분입니다. 예수님은 예루살렘에 입성하신 뒤에 십자가에 못 박혀 죽으시고, 3일 만에 부활하여 40일간 지상에 계시다가 하늘로 올라가셨습니다. 이것이 바로 사복음서의 핵심 내용입니다.

예수님이 예루살렘에 입성한다는 소문을 듣고 유대 사람들이 하나둘 몰려들기 시작하는데, 그들 손에는 종려나무 가지가 들려 있습니다. 많은 사람이 예수님이 오신다는 소식을 어디서 어떻게 들었는지는 알 수 없습니다.

우리에게는 영적인 호기심과 갈증과 끌림이 있습니다. 어느 시대에나 사람들은 영적 목마름에 시달리며 살아가곤 합니다. 대부분 교회를 통해 그 갈증을 해소하기를 원합니다. 하지만 교회가 영적으로 무기력하면, 사람들은 졸다가 그냥 돌아가게 됩니다.

사람들은 그리스도인들에게 어떤 기대감을 갖고 있습니다. 영적인 갈증이나 호기심을 풀어 주기를 바랍니다. 그래서 교회가 많은 부분에서 위기를 맞기도 합니다. 예수님을 믿는 사람은 많은데, 아무런 일도 일어나지 않는 것은 매우 위험한 일입니다. 홍수가 났는데, 정작 마실 물이 없는 것과도 같습니다.

당시 이스라엘은 종교 천국이었습니다. 바리새파 사람들과 대제사장들은 종교 없이 살 수 없는 시대에 살고 있었지만, 그들은 하나님의 음성을 듣지 못하고 진정한 구원도 경험하지 못했습니다. 메시아를 기다리는 백성에게 아무도 답을 주지 못했습니다. 세례자 요한이 광야에서 세례를 베풀 때, 사람들이 구름떼처럼 몰려들 만큼 영적 목마름과 영적 호기심이 팽배했던 시대였습니다.

예루살렘에 모인 사람들은 메시아가 온다는 소식을 듣고 종려나무 가지를 들고 나가서 흔들며 환호했습니다. 종려나무는 열대성 식물로 사진이나 영화에서 흔히 볼 수 있습니다. 종려나무 가지를 흔드는 것은 사랑과 기쁨과 존경과 환영을 의미합니다. 요한계시록에도 종려나무 가지가 등장합니다.

이 일 후에 내가 보았습니다. 모든 나라와 민족과 백성과 언어에서 나온 아무도 셀 수 없는 큰 무리가 흰옷을 입고 손에 종려나무 가지들을 들고 보좌 앞과 어린양 앞에 서서 큰 소리로 외쳐 말했습니다. "구원은 보좌에 앉으신 우리 하나님과 어린양께 속한 것입니다"(계 7:9-10).

이 말씀은 천상에서 일어날 일에 관한 것입니다. 모든 나라와 민족과 백성이 천상에서 찬송을 부르며 종려나무 가지를 흔들 것이라고 말합니다. 요한계시록에서 이 말씀을 가장 좋아합니다. 보좌가 있고, 어린양 예수 그리스도께서 우뚝 서신 자리에 수많은 영혼이 흰옷을 입고 종려나무 가지를 흔드는 모습을 상상만 해도 흥분되기 때문입니다.

요한계시록 장면처럼 예루살렘 성문에서 많은 사람이 종려나무 가지를 흔들며 예수님을 맞이하고 있습니다.

메시아는 예언을 성취한다

예수님이 새끼 나귀를 타고 들어오십니다. 상상해 보십시오. 사실 매우 우스꽝스러운 모습입니다. 백마를 타고 오셨더라면, 훨씬 좋아 보였을 텐데 말입니다. 백성의 함성이 울려 퍼지는 가운데 깃발을 높이 든 기마병들의 호위를 받으며 예수님이 위풍당당하게 예루살렘으로 입성하시는 모습을 그려 보곤 합니다. 얼마나 멋있습니까?

그러나 실제로는 예수님인 새끼 나귀를 타고 들어오시고, 가난한 백성들은 종려나무 가지를 흔들며 자기 겉옷을 벗어 양탄자처럼 깔고 있습니다.

이 장면이 중요한 이유는 무엇일까요? 사람들은 "호산나! 주의 이름으로 오시는 분에게 복이 있도다!", "이스라엘의 왕에게 복이 있도다!"라고 노래하며 함성을 지릅니다. '호산나'는 히브리어로 '오, 구원하소서'라는 뜻으로 시편 118편 25절에서 인용한 것입니다. 시편 118편은 '성전으로 올라가는 노래'인데 당시 사람들은 이 구절을 늘 찬송하고 암송하며 메시아를 기다렸습니다. 그들은 예수님이 예루살렘으로 오시는 모습을 보고, 종려나무 가지를 흔들며 환호하는 가운데 이 구절을 외쳤던 것입니다.

더욱 놀라운 것은 예수님이 새끼 나귀를 타고 입성하셨다는 사실입니다.

예수께서는 어린 나귀 한 마리를 보시고 그 위에 올라앉으셨습니다. 이것은 성경에 기록된 것과 같습니다. "시온의 딸아, 두려워하지 말라. 보라. 네 왕이 새끼 나귀를 타고 오신다"(요 12:14-15).

이것은 매우 시적이고 소박한 모습이면서도 한편으로는 희극적입니다. 예수님은 세상의 영웅이나 개선장군 혹은 권력자처럼 세상을 호령하는 자가 아님을 나타내는 것입니다. 우리의 구원자는 도살장에 끌려가는 소와 같고 털 깎는 자 앞에서 잠잠한 어린양과 같습니다. 보기에 흠모할 만한 것도 없이 십자가에서 처절하고 비참하게 죽으십니다. 이분이 바로 메시아입니다.

하나님의 때에 이루어지다

예수님이 새끼 나귀를 타고 보통 사람들의 환영을 받으며 예루살렘으로 입성하시는 모습에서 세 가지 의미를 찾을 수 있습니다.

첫째, 예수님이 예루살렘으로 입성하신 것은 그분의 비전과 꿈이었던 십자가로 향하는 죽음의 행진이었습니다. 예루살렘 입성은 마태, 마가, 누가, 요한의 사복음서에 빠짐없이 모두 기록돼 있습니다. 특히 마가복음 10장 32-34절은 예수님이 나귀를 타고 예루살렘으로 입성하시는 것에 대해 제자들에게 설명하고 있습니다.

예수님은 종려나무 가지를 든 사람들의 '호산나' 환영을 받으며 예루살렘으로 입성하실 것을 제자들에게 미리 말씀해 주셨습니다. 이것이 곧 십자가에 못 박혀 죽으러 가는 길이라는 것도 말씀해 주셨습니다.

예수님은 예루살렘 입성이 십자가의 죽음을 뜻하는 것임을 알고 계셨습니다. 우리 가운데 일주일 후에 자신이 죽을 거라고 미리 알고 있는 사람은 아무도 없을 겁니다. 자신의 미래를 분명히 알 수 있는 사람은 지금 밥 먹는 것, 예배하는 것 등이 남들과 다릅니다. 사람을 만나는 것도 다릅니다. 하지만 우리는 영원히 죽지 않을 것처럼 살기 때문에 오늘을 살고 있는 것입니다.

둘째, 예수님의 예루살렘 입성은 성경에 기록된 예언의 응답입니다. 예수님이 새끼 나귀를 타고 종려나무 가지를 흔드는 사람들의 환호를 받으며 예루살렘으로 입성하시는 것은 우연의 일치가 아닙니다. "시온의 딸아, 마음껏 기뻐하여라! 예루살렘의 딸아, 소리쳐라! 보아라. 네 왕이 네게로 오신다. 그는 의로우시며 구원을 베푸시는 분이다. 그는 겸손하셔서 나귀를 타시니 어린 새끼 나귀를 타고 오신다"(슥 9:9)라는 말씀처럼 이미 예언된 것입니다.

이 말씀은 메시아에 대한 예언입니다. 구약에는 메시아가 태어날 장소와 시간, 모습 등이 모두 예언되어 있습니다. 메시아가 새끼 나귀를 타고 입성할 것이라는 예언도 구약에서 말씀하고 있습니다. 왕이 예루살렘으로 입성하실 때 새끼 나귀를 타실 것인데, 그 이유는 온 인류의 죄를 대신 지실 왕이 공의로우며 구원을 베푸시고 겸손하시기 때문이라고 밝힙니다. 이런 내용은 다음 말씀과 정확하게 짝을 이루고 있습니다.

시온의 딸아, 두려워하지 말라. 보라. 네 왕이 새끼 나귀를 타고 오신다(요 12:15).

마가복음에서는 예수님이 예루살렘으로 입성하는 것은 십자가에서 죽으시고 인류의 모든 죄를 용서하시기 위함이라고 말합니다. 그러나 요한복음 12장 15절은 구약 예언의 응답이라고 말합니다.

셋째, 더욱 중요한 것은 예수님이 예루살렘 입성을 유대 사람들의 명절인 유월절에 맞추고 있다는 사실입니다. 예수님은 시간을 계산하여 예루살렘으로 들어오신 것입니다. 십자가에 못 박혀 죽는 때를 유월절 어린양이 죽는 날에 맞추셨습니다. 예수 그리스도는 온 인류를 위한 하나님의 어린양이십니다. 그래서 그날, 그 시간에 맞춰 인류의 제물인 어린양으로 입성하신 것입니다.

예수님은 예루살렘에 입성하신 후 말할 수 없는 고난을 겪으시고 십자가에서 처형당하셨습니다. 그날이 바로 모든 이스라엘 백성이 유월절을 맞아 어린양을 잡는 날이었습니다.

성경 말씀에는 "그러나 그리스도께서는 이미 이뤄진 좋은 것들의 대제사장으로 오셨습니다. 그는 손으로 짓지 않은, 곧 피조물에 속하지 않은 더 크고 더 완전한 장막으로 들어가셨습니다. 그는 염소와 송아지의 피가 아닌 자신의 피로 단번에 지성소로 들어가셔서 영원한 구속을 완성하셨습니다"(히 9:11-12)라고 기록되어 있습니다.

역사가 요세푸스는 어린양이 죽은 숫자로 추론해 당시 인구가 25만 6,000명이라고 결론을 내렸습니다. 유월절에 한 사람마다 어린양을 한 마리씩 죽여야 했습니다. 즉 유월절에 25만 6,000마리의 어린양이 죽임을 당했다는 결론이 나옵니다. 어린 양의 피가 강물같이 흘러 예루살렘은 피바다를 이뤘다는 기록이 있습니다. 인간의 죄를 씻기 위해 이처럼 많은 어린양이 대신해 피를 흘려야 했던 것입니다.

이제 예수님은 친히 어린양이 되셔서 십자가에 못 박혀 돌아가시게 되었습니다. 성경은 "그러나 사실은 우리의 허물이 그를 찔렀고 우리의 악함이 그를 짓뭉갰다. 그가 책망을 받아서 우리가 평화를 누리고 그가 매를 맞아서 우리의 병이 나은 것이다"(사 53:5)라고 기록하고 있습니다. 이것이 어린양이신 예수 그리스도이십니다.

16

나를 위해 밀알이
되신 겁니까?

요한복음 12:17-26

인자가 영광을 받아야 할 때

밀알의 비밀은 죽음에 있습니다. 밀알은 땅에 떨어져 죽어야 사는 것입니다. 포기하면 얻고 순종하면 기적이 일어나는 원리입니다. 한 알의 밀이 땅에 떨어져 죽는다는 것은 예수님의 죽음을 의미하기도 합니다.

예수님의 예루살렘 입성은 겉보기에는 초라하지만 영적으로는 엄청난 사건입니다. 주님의 예루살렘 입성은 적어도 세 가지 의미가 있습니다.

첫째, 예수님은 죽으러 가셨습니다. 자칫 예루살렘 입성이 승리의 개선 행렬처럼 보이지만 사실은 십자가에 못 박히러 가시는 길입니다.

둘째, 예수님의 예루살렘 입성은 예언의 응답입니다. 오래전 하나님이 이 땅에 메시아를 보내시어 온 인류의 구원자로 세우시겠다는 예언의 응답이었습니다.

셋째, 예수님은 유월절의 어린양이십니다. 바리새파 사람들과 대제사장들은 예수님의 모든 기적과 예루살렘 입성을 못마땅해하며 고통스러워했습니다. 그래서 그들은 예수 그리스도를 잡아다가 죽이려고 음모를 꾸몄습니다.

그러나 예수 그리스도를 환영하는 사람도 많았습니다. 예수님을 환영하는 사람들을 세 부류로 나눌 수 있습니다. 첫째, 나사로의 부활을 직접 목격한 사람입니다.

또 예수께서 나사로를 무덤에서 불러내 죽은 사람 가운데서 살리셨을 때 함께 있던 사람들이 그 일을 증언했습니다(요 12:17).

어떤 사건에 대한 목격자의 증언은 큰 효력이 있습니다. 나사로의 부활을 목격한 사람들은 입을 다물 수가 없었습니다. 그들은 만나는 사람마다 "나는 분명히 보았다. 죽은 나사로가 무덤에서 나오는 것을 직접 목격했다"면서 끊임없이 증언합니다. 다른 사람에게서 전해 들은 사람들은 전도의 열정이 별로 없습니다. 그러나 성령님을 체험하고 예수님을 경험한 사람은 누가 시키지 않아도 그 사실에 대해 자주 언급하게 됩니다. 버스에 타서도 옆 사람에게 꼭 한마디를 던지게 됩니다. 예수님에 관한 생각으로 가득 차 있기 때문입니다.

둘째, 나사로의 부활에 관한 소문을 들은 사람들입니다.

이처럼 무리가 예수를 맞으러 나온 까닭은 예수께서 이런 표적을 행하셨다는 말을 들었기 때문이었습니다(요 12:18).

예수님에 관한 소문이 입에서 입으로 전해졌습니다. 죽은 사람이 살아났다는 것은 보통 일이 아니라 굉장하고 충격적인 일입니다. 우리가 그런 소식을 들었다고 가정해 봅시다. "어떤 교회에서 죽은 사람이 살아났대. 그 살아난 사람이 그 교회의 새벽기도회에 나오고 예배에도 참석한대." 그 소식을 듣고는 '그런가 보다'라는 식으로 반응할 수 없습니다. 죽은 사람이 살아났다는 소식을 들으면 '어디 한번 가서 보자, 사실인지 아닌지 확인해 보자'고 생각할 것입니다.

복음은 "착하게 살자, 의롭게 살자, 믿음 없는 것보다 믿음 있는 것이 낫다"는 차원의 것이 아닙니다. 복음은 죽은 자가 살아나는 사건만큼이나 충격적입니다. 그래서 사람들은 순교를 각오하면서 복음을 전해야 합니다. 죽었던 나사로가 살아났다는 소문을 들은 사람들은 움직이기 시작했습니다.

셋째, 예수님을 반대했던 대제사장들과 바리새파 사람들입니다. 바리새파 사람들 사이에 분열이 생겼습니다.

> 그러자 바리새파 사람들이 서로 말했습니다. "보시오. 온 세상이 예수를 따르고 있으니 이제 할 수 있는 것이 없지 않소"(요 12:19).

그들은 자포자기 상태에 빠졌습니다. 예수님의 기적에 관해 많은 사람이 증언하고 예수님을 따르는 무리가 많음을 보고 그들 사이에 내분이 일었습니다. 엄연한 사실을 은폐하려 한 시도는 손바닥으로 하늘 가리는 꼴이 되고 말았습니다. 그래서 바리새파 사람들 사이에서 "우리의 모든 계획이 수포로 돌아가고 말았어. 예수를 믿고 따르는 사람이 얼마나 많은지 봐. 이제 소용없게 됐어"라는 말이 불거져 나왔습니다.

이때 일어난 매우 중요한 사건을 본문이 소개하고 있습니다. 유대 사람들의 명절인 유월절을 맞아 많은 사람이 예루살렘으로 모여들었습니다. 그중 그리스인이 몇 명 있었습니다. 그리스인들은 예수님이 예루살렘 성으로 들어오시는 광경을 목격했습니다. 많은 유대 사람이 종려나무 가지를 흔들면서 "호산나! 주의 이름으로 오시는 분에게 복이 있도다!", "이스라엘의 왕에게 복이 있도다"라고 외치며 옷을 벗어 길에 깔며 환영하는 모습을 보았습니다.

환영 인파 속에 어떤 사람이 새끼 나귀를 타고 예루살렘 성으로 들어가시는 것을 볼 수 있었습니다. 그리스 사람들은 그 모습이 굉장히 인상적이었던 것 같습니다.

"저분은 누굴까? 왜 많은 사람이 저분에게 환호성을 보내는 것일까?"

그래서 그리스 사람들은 예수님의 제자들을 찾아갑니다.

명절에 예배드리기 위해 올라온 사람들 중에 그리스 사람들도 있었습니다. 그들은 갈릴리 벳새다 출신인 빌립에게 와서 간청했습니다. "선생님, 우리가 예수를 뵙고 싶습니다"(요 12:20-21).

그리스 사람들이 예수님을 만나보겠다며 찾아온 사건은 그리 대단하지 않을 수 있습니다. 특히 당시 유대 사람들의 시각으로 볼 때 매우 하찮은 이방 사람들이 찾아온 것일 뿐입니다. 그러나 예수님은 매우 중요한 일로 여기셨습니다.

그리스 사람들은 왜 빌립을 찾아갔을까요? 빌립이란 이름은 그리스식 표현입니다. 그들은 벳새다 사람 빌립을 찾아가 예수님을 만나고 싶다고 요청합니다.

본문 말씀을 자세히 보면, 빌립이 그들의 요청에 당황하며 머뭇거리는 것을 발견할 수 있습니다. 그리고 안드레에게 의논합니다. 안드레도 빌립에게 "우리가 함께 가서 예수님께 이 일을 전하자"고 제의합니다. 드디어 제자들이 예수님께 그리스 사람들이 뵙기를 청한다는 말을 전했습니다.

빌립은 안드레에게 가서 말했습니다. 이어 안드레와 빌립이 함께 예수께 말씀드렸습니다(요 12:22).

빌립과 안드레의 얘기를 들은 예수님이 하실 대답은 '좋다' 혹은 '싫다' 둘 중 하나일 것입니다. 그러나 예수님의 대답은 예상 밖이었습니다.

예수께서 대답하셨습니다. "인자가 영광 받아야 할 때가 왔다"(요 12:23).

그 후 그리스 사람들이 예수님을 만났든 못 만났든 상관없이 23절 말씀은 우리가 받아야 할 메시지입니다. 왜 예수님이 이런 말씀을 하실까요? 그리스 사람 몇 명이 찾아온 사소한 일이지만, 이것은 굉장히 큰 의미가 있습니다. 하나님의 독생자이신 예수님이 세상에 오셔서 유대 사람들에게 복음을 전하고 예루살렘 성으로 들어오셨습니다. 그런 와중에 바리새파 사람들과 대제사장들 사이에 갈등이 있었지만 어쨌든 이것은 모두 유대 사람들과 관련된 이야기입니다. 그런데 이방 사람인 그리스 사람들이 찾아와 예수님에 관해 강한 호기심을 보인 것입니다.

이방 사람들도 복음이 필요하다

"당신은 누구십니까? 우리는 당신을 꼭 만나 보기를 원합니다"라는 요청은 곧 복음이 이방 사람에게로 넘어가는 하나의 전환점이 됩니다.

사도행전을 보면 예수 그리스도의 복음이 유대 사람 중심으로 흘러갑니다. 누구나 이것을 당연한 것으로 여깁니다. 그 대표적 인물이 바로 베드로입니다. 베드로는 전혀 생각지도 못했던 이탈리아 군대장관 고넬료를 만납니다. 고넬료는 유대 사람이 아니라 이방 사람입니다. 그러나 고넬료는 하나님을 섬기고 금식하며 가난한 자들을 돕는 경건한 사람이었습니다. 그런 그가 환상을 보고 베드로를 초청합니다. 처음에 베드로는 당황했습니다. 당시 유대 사람들은 이방 사람들을 천하게 여겨 상종하지 않았고, 선민의식이 강했던 유대 사람과 이방 사람 사이에는 정치·경제·문화·종교적으로 큰 벽이 있었기 때문입니다.

사마리아 수가 마을의 여인이 예수님을 만났을 때 "왜 당신은 유대 사람으로서 사마리아 사람인 나에게 말을 겁니까?"라고 묻는 것도 이런 배경에서 나온 말입니다.

처음에 베드로는 고넬료의 초대를 거절했습니다. 그 후 그가 기도할 때 환상 가운데 하늘에서 보자기가 내려왔습니다. 그러더니 하나님이 고넬료를 만나라고 말씀하셨습니다. 베드로가 이방 사람 고넬료를 만나는 것에 대해 주변 사람들이 비난했지만, 그는 이를 무릅쓰고 고넬료를 만나 세례를 베풀었습니다.

예수 그리스도의 복음은 유대 사람만을 위한 것이 아니라 온 인류를 위한 것임을 증명하는 사건입니다. 유대 사람들은 복음을 거부했습니다. 그래서 복음이 이방인에게로 넘어온 것입니다. 이게 로마서의 이야기입니다. 지금 그런 일들이 예수님의 사역 속에 나타나고 있습니다.

그리스 사람 몇 명이 예수님을 찾아온 사건은 하나님의 구원 계획으로 볼 때 엄청난 전환점이 되었습니다. 예수님은 이것을 모든 이방인이 찾아오는 신호탄으로 보신 것입니다. 그래서 예수님은 그리스 사람 몇 명이 찾아온 사실을 전해 듣고 "인자가 영광 받아야 할 때가 왔다"라고 말씀하신 것입니다.

제자들은 이 말씀을 전혀 알아듣지 못했습니다. 성경을 보면 제자들은 예수님이 말씀하신 것을 대부분 알아듣지 못한 것 같습니다. 예수님이 말씀하시면 딴소리를 일삼습니다. 제자들은 예수님이 십자가에 못 박혀 죽으시고 부활 승천하신 후에야 비로소 말씀을 깨닫게 됩니다. 이것이 바로 놀라운 영적 비밀입니다.

사도행전 8장 26-39절 말씀을 보면, 에티오피아의 내시가 마차를 타고 가면서 성경을 읽는데, 해석이 되지 않아 고민하고 있습니다. 빌립이 성령님에게 이끌려 그에게 다가가 말씀을 해석해 주고 두 사람은 물이 있는 곳에 이르러 세례를 베풉니다. 이 사건은 내시 한 사람의 회심으로 끝나지 않고 결국 에티오피아에 복음이 들어가는 계기가 됩니다.

우리가 예수님을 믿는다는 것은 우리만의 사건으로 끝나지 않습니다. 우상을 숭배하고, 점을 치던 많은 가정에 생명의 빛이 들어가는 결정적인 역할을 하게 됩니다. 나 혼자 예수님을 믿는 것 같지만, 결코 그렇지 않습니다.

100여 년 전 한반도에서 어떤 한 사람이 예수님을 믿었습니다. 하지만 그것은 그 한 사람의 문제가 아니라 어둠 속에 있던 한반도로 복음이 들어온 영적 부흥의 신호탄이 되었습니다.

하나의 밀알이 죽음으로써 많은 열매를 맺는다

우리는 예수님을 믿음으로 말미암아 온 가정이 구원받는 것을 믿습니다. 예수님을 믿고 교회를 세우면 저주받은 이 땅이 복을 받고, 하나님 나라를 건설하게 되는 것을 믿습니다. 이것이 복음입니다.

우리가 생명을 걸고 나가 전도하는 이유가 여기에 있습니다. 많은 인력과 돈과 열정을 들여 열린 예배를 하고 맞춤 전도를 하는 이유도 여기에 있습니다.

주 예수를 믿으시오. 그러면 당신과 당신의 집안이 구원을 받을 것입니다(행 16:31).

한 사람이 예수님을 믿고 구원을 얻는 것은 개인의 문제에 머무는 것이 아니라 한 국가와 더 나아가 모든 나라와 방언과 백성과 열방이 주님 앞으로 돌아오는 구원의 신호탄이요, 역사의 전환점이 되는 것입니다. 그리스 사람 몇 명은 모든 이방 사람을 대표합니다. 우리가 값비싼 대가를 치르고 수모를 당하면서 전도하는 까닭은 개인은 물론이고 가정과 사회와 민족과 역사를 송두리째 변화시키는 복음의 능력을 믿기 때문입니다. 그 능력이 바로 예수 그리스도이십니다.

한반도는 100여 년 전만 해도 쇄국 정책을 펴고 있었습니다. 150년 전에는 어둠에 갇혀 있던 땅이었습니다. 조선왕조 500년간 우리는 세계로 눈을 돌리지 못한 채 살아왔습니다. 희망과 비전이 없었습니다. 그래서 청나라에 당하고 일본에 치이며 미국에 당하고 러시아에 치였습니다. 한반도가 근대화에 눈을 뜨고 교육과 의료를 실시하게 된 동기가 바로 복음에 있습니다.

이어서 예수님은 성경에서 '황금 구절'로 불리는 말씀을 하십니다.

> 내가 진실로 진실로 너희에게 말한다. 밀알 하나가 땅에 떨어져 죽지 않으면 한 알 그대로 있고 죽으면 많은 열매를 맺게 된다(요 12:24).

이방 사람이 돌아오는 사건을 보신 예수님이 밀알의 원리에 관해 말씀하십니다. 밀알이 땅에 떨어져 죽으면 오히려 산다는 것입니다. 밀알이 죽지 않으면 아무 일도 일어나지 않습니다. 한 알의 밀이 땅에 떨어져 죽으면 새싹이 돋고 많은 열매를 맺게 됩니다.

밀알의 비밀은 죽음에 있습니다. 밀알은 땅에 떨어져 죽어야 사는 것입니다. 포기하면 얻고 순종하면 기적이 일어나는 원리입니다.

한 알의 밀이 땅에 떨어져 죽는다는 것은 예수님의 죽음을 의미하기도 합니다.

자기 생명을 사랑하는 사람은 잃을 것이요, 이 세상에서 자기 생명을 미워하는 사람은 영원히 그 생명을 보존할 것이다(요 12:25).

이 말씀을 원어로 읽으면 뜻이 확연히 살아납니다. 상반절에 나오는 '생명'은 헬라어로 '프시케'인데 '육체의 생명'을 말합니다. 하반절에 나오는 '영원한 생명', 즉 '영생'은 헬라어로 '조에'입니다. "육체의 생명을 포기하고 죽으면 영원한 생명을 얻는다"는 의미입니다. 24절은 예수님 자신에 관해 말씀하신 것이고, 25절은 인간에 관해 말씀하신 것입니다.

"목구멍이 포도청"이라는 말이 있습니다. 우리는 육신을 위해 매일 세 끼를 먹어야 합니다. 아침마다 조깅하며 헬스클럽에 가서 운동도 합니다. 이는 육체를 위해서 하는 일입니다. 그런데 육체를 죽이면 영원한 생명이 탄생한다는 것입니다.

누구든지 나를 섬기려면 나를 따라야 한다. 내가 있는 곳에 나를 섬기는 사람도 함께 있을 것이다. 누구든지 나를 섬기면 내 아버지께서 그를 귀하게 여기실 것이다(요 12:26).

우리가 예수님을 믿고 따르면 하나님 아버지께서 우리를 귀하게 여기십니다. 생명은 귀한 것입니다. 한 번밖에 없는 인생을 위해 울고 속상해하며 서로 싸우고 몸부림치지만, 100년도 못 사는 게 육체입니다. 육체의 생명을 위해 우리는 사탄의 종노릇하며 추악하게 살고 있습니다.

하지만 생명을 포기하면 하나님이 영원한 생명을 주십니다. 땅의 복이 아닌 하늘의 복, 순간의 복이 아닌 영원한 복, 외형적 복이 아닌 내면적 복을 허락해 주십니다. 한 알의 밀이 땅에 떨어져 죽으면 많은 열매를 맺게 되듯이 말입니다.

예수님을 따라가는 것을 두려워하지 말아야 합니다. 우리에겐 영원한 생명이 있습니다. 한 사람이 예수님을 믿는 것은 한 가정에 기적의 문을 여는 일입니다. 교회 하나가 존재하는 것이 한 민족에게 축복의 통로가 됩니다. 그래서 선교사를 세계로 파송하는 것입니다. 한 민족을 통째로 바꾸는 길은 군사를 파병하는 것이 아니라 한 사람의 선교사를 파송하는 것입니다. 밀알 한 알의 복과 비밀이 모든 사람에게 적용되기를 축원합니다.

17

왜 십자가여야
합니까?

요한복음 12:27-33

십자가로 하나님과 인간을 이으시다

예수님은 그리스 사람들이 찾아온 것을 계기로 십자가에 관해 말씀하시기 시작합니다. 이따금 "인자가 고난을 받을 것"이라고 말씀하시곤 했지만, 십자가에 관해 집중적으로 말씀하신 적은 없었습니다. 그리스 사람들이 찾아온 것을 계기로 모든 메시지를 십자가의 예언에 집중하시는 모습을 발견할 수 있습니다.

십자가가 왜 중요할까요? 예수님은 어떤 의미에서 십자가에 대해 집중적으로 말씀하시는 것일까요? 십자가 사건은 하나님과 인간이 만나고 하늘과 땅이 만나는 사건입니다. 십자가는 하나님과 인간을 하나로 잇는 통로입니다. 예수님은 십자가로 둘을 하나로 만드시고 원수된 것을 소멸하십니다.

인간은 십자가를 통하지 않고선 하나님께로 나아갈 수 없습니다. 예수님은 십자가로 막힌 담을 허시고 진정한 평안을 주셨습니다(엡 12:14-18 참조). 십자가로 남북이 통일되고 동서가 화합하며 원수였던 사람들이 화해할 수 있습니다. 흩어졌던 사람들이 모여 화해할 수 있는 건 십자가 때문입니다.

예수 그리스도께서는 하나님의 아들로 세상에 오셨습니다. 그리고 어둠 속에 갇혀 저주받은 죽음의 행진을 거듭하는 인류를 구원하려고 십자가를 지셨습니다. 하나님과 인간을 만나게 하려고 예수 그리스도께서 피를 흘리고 죽으셨습니다. 이것이 바로 십자가 사건입니다.

이런 의미에서 십자가는 구원의 핵심입니다. 우리는 십자가 덕분에 죄를 용서받고, 구원을 얻으며, 하나님의 자녀가 되었습니다. 예수님이 십자가에서 못 박혀 죽으심으로써 사탄의 모든 세력이 꺾이고, 우리는 죽음과 저주와 심판으로부터 자유하게 되었습니다. 십자가로 말미암아 자유와 평안과 기쁨을 누리고 풍요로운 삶을 살 수 있게 되었습니다.

이제 예수님은 본격적으로 십자가에 관해 말씀하시기 시작합니다. 첫째, 십자가는 한 알의 밀알입니다.

> 내가 진실로 진실로 너희에게 말한다. 밀알 하나가 땅에 떨어져 죽지 않으면 한 알 그대로 있고 죽으면 많은 열매를 맺게 된다(요 12:24).

한 알의 밀알 비유는 단순히 도덕적·윤리적 교훈에 불과한 것이 아닙니다. 이것은 십자가에 대한 메시지입니다. 밀알 하나가 땅에 떨어져 죽는다는 것은 예수님이 십자가에 못 박혀 죽으심을 의미합니다. "많은 열매를 맺게 된다"는 말은 십자가 사건 때문에 수많은 사람이 죄를 용서받고 구원을 받으며 영생을 얻는다는 뜻입니다. 예수님의 십자가 죽음으로 말미암아 온 인류가 부활과 생명의 축복을 받게 됨을 의미합니다.

하나님의 뜻으로 우리를 위해 십자가를 세우시다

둘째, 십자가는 하나님의 뜻입니다.

> 지금 내 마음이 몹시 괴로우니 내가 무슨 말을 하겠느냐? '아버지
> 여, 내가 이 시간을 벗어날 수 있게 해 주십시오' 하겠느냐? 아니다.
> 나는 바로 이 일 때문에 이때 왔다(요 12:27).

십자가는 견딜 수 없는 고통을 수반하지만, 곧 하나님의 뜻이기
도 합니다. 죽음은 편안하지 않고 고통 그 자체를 말합니다.

예수님도 "내가 죽을 것을 생각하니 괴롭다"고 말씀하십니다.
또 "나를 구원하셔서 이 시간을 벗어나게 해 주십시오"라고 기도
하십니다. 십자가의 고통이 얼마나 크고, 감당할 수 없을 정도로
무거운 짐인지를 잘 나타내 주고 있습니다. 그러나 십자가는 하나
님의 뜻이기에 예수님은 고통을 당할지라도 십자가의 죽음에 순
종함으로써 하나님의 뜻을 이루게 해 달라고 기도하십니다. "나는
바로 이 일 때문에 이때 왔다"고 말씀하십니다.

예수님은 십자가에 달리시기 전날 밤에 겟세마네 동산에서 땀
방울이 핏방울같이 되도록 기도하셨습니다. 기도의 주제는 "할 수

만 있다면 이 잔을 내게서 거둬 주십시오"라는 것이었습니다. 예수님은 세 번이나 간곡하게 기도하시고 마지막에 결론을 내리십니다.

"내 뜻대로 하지 마시고 아버지의 뜻대로 하십시오."

이 말씀을 바꿔 말하면 "나의 뜻대로 행동하지 않고 아버지의 뜻대로 행동하겠습니다"라는 뜻입니다. 예수님은 "십자가를 피하고 싶지만, 하나님의 뜻이기에 십자가 지는 일에 순종하겠습니다"라고 말씀하십니다.

셋째, 십자가는 하나님의 영광입니다.

아버지여, 아버지의 이름을 영광스럽게 하소서!" 바로 그때 하늘에서 소리가 들려왔습니다. "내가 이미 영광스럽게 했다. 다시 영광스럽게 할 것이다(요 12:28).

"십자가는 고통이지만, 하나님 아버지의 이름을 높이는 영광"이라고 말씀하십니다. 사도 바울은 "현재의 고난은 앞으로 우리에게 나타날 영광과 족히 비교할 수 없다"(롬 8:18)고 선언하고 있습니다. 고통 뒤에 영광이 온다는 것입니다.

그래서 많은 그리스도인이 예수 그리스도로 말미암아 당하는 고통이 장차 올 놀라운 영광과 비교할 수 없는 것임을 알기에 참으면서 하나님의 뜻에 순종합니다. 십자가는 고난이고 고통이지만,

그것이 하나님의 뜻이고 그분의 영광을 나타내는 것이기에 예수님은 주저 없이 십자가의 길을 선택하십니다. 예수님의 십자가는 하나님의 영광이 되었습니다.

고난이 영광이 됨은 마치 순교가 축복이고, 의를 위해 핍박받음이 축복인 것과 같습니다. 세상에서 가장 가치 있는 죽음은 순교입니다. 반면에 가장 가치 없는 죽음은 자살입니다. 보통 사람들은 늙어서 죽습니다. 이보다 고통스러운 것은 병 때문에 죽는 일입니다. 병이 들면 죽게 되고 사건이나 사고 등으로 일찍 죽을 수도 있습니다.

순교보다 위대한 죽음은 없습니다. 순교는 반드시 열매를 맺습니다. 순교 후에 그 민족이나 가족이 복을 받거나 아니면 후손들이 복을 받습니다.

넷째, 십자가는 우리를 위한 것입니다.

곁에 서서 그 소리를 들은 사람들은 천둥이 쳤다고 말했습니다. 다른 사람들은 '천사가 예수께 말했다'라고도 했습니다. 예수께서 말씀하셨습니다. "이 소리가 난 것은 나를 위한 것이 아니라 너희를 위한 것이다"(요 12:29-30).

예수님은 십자가에서의 희생이 하나님께 영광이 되고 동시에 인간에게 구원과 복이 된다고 말씀합니다. 예수님이 기도하실 때 하늘에서 응답해 주셨습니다. 곁에 있던 사람들이 어떤 소리를 들었습니다.

사울은 다메섹 도상에서 하나님의 음성을 들었습니다. 당시 주변에 있던 사람들은 아무 소리도 듣지 못했지만, 뭔가 이상한 분위기를 느꼈습니다. 그때 사람들은 천둥소리와 같다고 했습니다. 또 어떤 사람들은 천사가 말하는 것 같다고 했습니다.

예수님이 곁에 있던 사람들에게 설명해 주십니다. "천둥소리도 아니고 천사의 소리도 아니다. 이 소리는 나를 위한 것이 아니라 너희를 위한 것이다"라고 말입니다. 십자가가 우리를 위한다는 것은, 예수님은 십자가에서 고통을 당하시고 그 혜택은 우리가 받는다는 뜻입니다.

로마서 5장 12-19절을 보면, 한 사람 아담으로 말미암아 모든 사람에게 죄와 죽음과 저주와 심판이 임했습니다. 마찬가지로 한 사람 예수 그리스도께 서 십자가에 죽으심으로써 온 인류가 죄를 용서받고 죽음과 저주와 심판에서 구원을 받으며 영원한 생명을 누리게 되는 것입니다.

예수님의 십자가는 우리에게 복이 됩니다. 그래서 우리는 세상으로 나아가 십자가를 자랑합니다. 성경은 "그러나 사실은 우리의 허물이 그를 찔렀고 우리의 악함이 그를 짓뭉갰다. 그가 책망을 받아서 우리가 평화를 누리고 그가 매를 맞아서 우리의 병이 나은 것이다"(사 53:5)라고 기록하고 있습니다.

할렐루야! 이것이 십자가입니다. 예수님의 십자가로 말미암아 우리는 질병, 불안, 염려, 근심, 걱정으로부터 자유함을 얻고 저주에서 영원한 생명으로 옮겨졌습니다.

십자가는 승리의 길, 구원의 문, 거룩한 삶이다

다섯째, 십자가는 사탄의 패배입니다.

> 이제 세상을 심판할 때니 이 세상의 통치자가 쫓겨날 것이다(요 12:31).

십자가는 세상의 통치자로 하여금 쫓겨나게 합니다. 곧 사탄의 정수리가 조각나는 것을 의미합니다. 독재자가 정권을 잡고 있는 동안 국민은 고통을 당하고 많은 어려움을 겪지만, 그가 추방되고 나면 하루아침에 평화를 얻습니다. 이와 같이 세상을 통치하던 사탄은 예수 그리스도의 십자가로 말미암아 무저갱으로 떨어지게 됩니다. 십자가는 사탄의 패배와 죽음을 의미합니다. 그 덕분에 우리는 예수 그리스도 안에서 자유와 축복과 평안을 누립니다.

우리는 사탄의 능력이 제거된 것을 믿어야 합니다. 사탄이 더는 활동할 수 없음을 믿어야 합니다. 사탄의 궤계가 무너져 버렸습니다. 이것이 십자가입니다. 십자가를 잡고 나아가는 사람들을 보고 사탄은 통곡하며 도망갑니다.

그러나 사탄은 십자가를 믿지 않는 사람들에게는 왕으로 군림합니다. 사탄은 세상의 왕, 권력의 왕이 될 것입니다.

여섯째, 십자가는 구원입니다.

그러나 내가 이 땅에서 들려 올라갈 때 나는 모든 사람들을 내게로 이끌 것이다(요 12:32).

"내가 이 땅에서 들려 올라갈 때"란 말은 "내가 십자가를 짊어진다"는 뜻입니다. "십자가는 고통이지만, 내가 십자가를 지면 너희를 나에게로 이끌어 오겠다"라는 뜻입니다.

성경은 "하나님께서 세상을 이처럼 사랑하셔서 외아들을 주셨으니 이는 그를 믿는 사람마다 멸망하지 않고 영생을 얻게 하려는 것"(요 3:16)이라고 말합니다. "그를 믿는다"는 말은 "예수님이 하나님의 아들이심"을 믿는 것을 뜻합니다. 예수님이 우리 죄를 대신해 십자가에서 피 흘려 죽으셨음을 믿는 것을 의미합니다. 예수님이 부활 후에 승천하시고 다시 심판의 주로 재림하심을 믿는 것을 뜻합니다. 이 진리를 믿으면 우리는 멸망하지 않고 영생을 얻게 됩니다.

예수님이 십자가에서 죽으셨다가 하늘로 들려 올라가시자 인간은 구원받을 수 있게 되었습니다. 그래서 우리는 십자가를 의지해 그분 앞에 담대히 나아가는 것입니다. 예수님이 들림을 받으셨기 때문에 우리도 들림을 받게 될 것입니다. 예수님이 십자가에 못 박혀 죽으셨기 때문에 우리는 죄의 문제를 해결 받을 수 있습니다. 하나님과 우리 사이에 막혀 있던 담이 허물어진 것입니다. 우리를 잠그고 있던 빗장이 풀린 것입니다.

그러나 그분을 영접한 사람들, 곧 그분의 이름을 믿는 사람들에게는 하나님의 자녀가 될 권세를 주셨습니다(요 1:12).

예수님을 믿으면 사망에서 생명으로 옮겨지는 것이 구원입니다. 예수님이 십자가를 지셨기 때문에 우리는 십자가 안으로 들어갈 수 있고, 이끌림을 받을 수 있으며, 들려 올라감을 받을 수 있습니다. 교회에 다니지만 아직도 십자가를 체험하지 못했거나 십자가를 믿지 못하는 사람이 있다면 속히 예수님의 십자가 앞으로 나아가기를 바랍니다. 이 책을 읽고 있는 모든 사람에게 예수 그리스도의 십자가를 믿는 결단과 고백이 있기를 축원합니다.

예수께서 이렇게 말씀하신 것은 자신이 어떤 죽음을 당할 것인지 암시하려고 하신 말씀입니다(요 12:33).

아직 예수님은 십자가에서 죽지 않으셨습니다. 그러나 예수님은 어떻게 죽으실 것인지 자세히 알고 계셨습니다. 어떤 고통을 겪으실 것인지도 아셨습니다. 십자가에서 두 손과 두 발에 못이 박히고 창에 허리를 찔릴 것이며 수많은 고초와 수모를 당할 것을 아셨습니다. 이 죽음에 어떤 의미가 있는지도 아셨습니다. 그리고 십자가의 죽음이 어떤 능력과 영향력을 지니는지도 모두 알고 계셨습니다. 십자가로 온 인류가 구원받을 것도 아셨습니다.

여기에 중요한 메시지가 담겨 있습니다. 사람이라면 누구나 죽음을 피해 가고 싶어 합니다. 시한부 인생을 사는 사람도 죽음을 생각하기 싫어합니다. 그러나 진정한 복은 날마다 죽음을 묵상하는 것입니다. 우리는 자신이 죽는다는 것을 매일 확인해야 합니다. 그러면 삶이 달라질 것입니다. 매일 죽음을 묵상한다면 욕망의 노예가 되지 않습니다. 자신이 죽는 것을 알기 때문입니다. 마치 죽지 않을 것처럼 살기 때문에 문제가 발생하는 겁니다.

예수님은 십자가의 죽음을 날마다 묵상하셨습니다. 그리고 제자들에게 십자가 죽음의 의미를 설명해 주셨습니다. 그래도 주님은 비참함에 빠지지 않으셨습니다. 이미 죽음을 이기고 승리하셨기 때문입니다.

죽음을 묵상하지 않고 죽지 않으려 발버둥치는 게 문제입니다. 죽음을 묵상하는 것을 두려워하지 말아야 합니다. 죽음을 묵상하면 그 경지를 뛰어 넘게 됩니다. 그리고 욕망의 노예가 되지 않고 용감하게 살 수 있습니다.

목회자가 겪는 곤란한 일 중 하나가 환자를 만나는 것입니다. 목회자는 환자에게 "당신은 곧 숨을 거두게 됩니다. 죽음을 준비 하십시오"라는 말을 할 수 없기 때문입니다. "원수와 화해하십시오. 모든 것을 깨끗이 정리하고 하나님 나라로 가십시오"라며 죽음을 준비하도록 도와줘야 하는데 "믿으면 삽니다"라는 말만 되풀이할 수밖에 없습니다.

우리는 죽음을 준비할 수 있도록 서로 도와야 합니다. 오늘 죽더라도 후회 없이 하나님 나라로 가겠다고 결단할 수 있어야 합니다. 언젠가 우리는 모두 죽습니다. 죽음을 묵상한다는 것은 결코 나쁜 일이 아닙니다. 그것은 용기 있고 거룩하게 사는 한 방법이기도 합니다.

18

이 어둠을
깨뜨리길 원합니다

요한복음 12:34-37

하나님의 아들이 사람의 아들로 오시다

빛과 어둠은 공존할 수 없습니다. 선과 악도 마찬가지입니다. 하나님과 사탄은 공존할 수 없습니다. 지금 이 순간에도 예수님은 우리에게 단호하게 도전하십니다. 빛이 있는 동안 그 빛을 믿고 받아들이라고 말씀하십니다. 빛이 있으면 어둠에 붙잡히지 않고 그 빛 안에 살게 될 것입니다.

예수님은 십자가의 죽음에 관해 정확하고 분명하게 알고 계셨습니다. 그래서 예수님은 제자들에게 십자가 죽음의 의미와 그 영광과 축복을 여섯 가지로 설명해 주셨습니다.

예수님이 십자가 죽음의 의미를 설명해 주셨지만, 사람들은 메시아가 십자가를 져야 한다는 말씀을 이해하지 못하고 계속 묻습니다.

> 그때 무리가 대답했습니다. "우리는 율법에서 그리스도께서 영원히 계신다고 들었는데 어째서 당신은 '인자가 들려서 올라가야 된다'고 하십니까? 이 '인자'란 누구입니까?"(요 12:34).

율법은 "메시아는 영원히 존재하는 분"이라고 설명합니다. 구약에선 '메시아'라는 단어를 썼지만, 신약에선 그리스어로 '크리스토스'라는 단어를 썼습니다. 메시아는 그리스도와 같은 말입니다. 34절에서 사람들은 "율법에서 그리스도께서 영원히 계신다고 들었는데 어째서 당신은 '인자가 들려서 올라가야 된다'고 하십니까? 이 '인자'란 누구입니까?"라고 질문합니다. 구약에서 메시아는 고통, 슬픔, 절망, 좌절 등 인간의 모든 문제를 해결하고 전쟁, 패배, 포로, 죽음 등을 종식시키기 위해 오시는 분입니다.

일제강점기 때 우리가 해방과 독립을 기다렸던 것처럼, 로마에 점령당한 이스라엘 민족은 메시아를 기다리고 목말라 했으며 메시아는 그들의 희망이자 전부였습니다. 그런데 그 메시아가 자신의 죽음에 관해 말하고 있는 것입니다.

그러자 사람들이 메시아에게 "당신은 스스로 인자라고 말하는데 도대체 인자가 무엇입니까?"라고 묻습니다. '인자'는 문자 그대로 사람 '인'(人), 아들 '자'(子)입니다. 즉 '사람의 아들'이라는 뜻입니다.

예수님은 인자라는 단어를 매우 독특하게 사용하십니다. 인자라는 말은 사복음서에서 여러 번 언급 하실 정도로 특별한 개념입니다. 이스라엘 백성은 구약성경을 통해 인자라는 말을 알았기 때문에 바로 알아들을 수 있었지만, 우리는 해석이 필요합니다.

우리는 누구나 사람의 아들입니다. 그런데 왜 예수님은 자신을 인자라고 표현하실까요? 이유는 아주 간단합니다. 정말로 사람의 아들이라면 특별히 자신을 가리켜 인자라고 말할 필요가 없습니다. 그러나 인자라고 말하는 사람이 사람의 아들이면서 동시에 사람 이상의 존재, 하나님의 아들, 영존하시는 분이라면 말할 필요가 있을 것입니다. 그래서 예수님이 자신을 '인자'로 표현하신 것입니다.

인자라는 말은 사람의 아들과 신의 아들이라는 두 가지 개념을 포함하고 있습니다. 이것은 매우 독특한 개념입니다. 성경에 이런 말씀이 있습니다.

> 내가 밤에 또 환상을 보았습니다. 사람같이 생긴 분이 하늘 구름을 타고 오셨습니다. 그가 옛날부터 항상 살아 계신 분께 가서 그분 앞에 섰습니다. 사람같이 생긴 분은 하나님께 힘과 영광과 나라들을 받고 모든 백성들과 나라들과 각기 다른 언어를 쓰는 사람들에게 경배를 받았습니다. 그분의 다스림은 영원해서 결코 사라지지 않을 것이고 그분의 나라는 결코 멸망하지 않을 것입니다(단 7:13-14).

이 말씀에 나오는 사람을 자세히 살펴보면, 그는 사람이지만 우리가 말하는 보통 사람이 아님을 알 수 있습니다. 하늘 위에 계신 분, 영원하신 분, 하나님의 아들, 참 메시아라는 의미가 인자라는 말에 모두 포함되어 있습니다. 하나님의 아들이시고 메시아이며 우리와 같은 사람의 아들이어야 한다는 뜻이 바로 인자에 담겨 있습니다.

어둠을 물리치는 '바로 그 빛'으로 오시다

예수님은 인자에 관한 질문을 받으시고, 인자의 특성에 관해 상징적인 단어로 간결하고 분명하게 설명하십니다. 바로 '빛'입니다. 이것은 예수님의 마지막 공적 설교입니다. 요한복음 13-17장 말씀은 예수님이 제자들에게 사적으로 설교하신 내용입니다. 인자의 특성에 관한 말씀이 예수님의 마지막 공적 설교이며 3년 동안 자신에 대해 하신 말씀의 결론에 해당합니다.

예수님은 공생애 마감을 의미하는 짧은 말씀을 주셨습니다.

> 그러자 예수께서 그들에게 말씀하셨습니다. "아직 얼마 동안은 빛이 너희 가운데 있을 것이다. 어둠이 너희를 삼키지 못하도록 빛이 있는 동안에 걸어 다니라. 어둠 속에서 다니는 사람은 자기가 어디로 가는지 알지 못한다. 너희에게 빛이 있는 동안에 너희는 그 빛을 믿으라. 그러면 너희가 빛의 아들들이 될 것이다. 이 말씀을 하신 후 예수께서는 그들을 떠나서 몸을 숨기셨습니다(요 12:35-36).

예수님은 자신을 가리켜 "세상의 빛"(요 8:12)이라고 말씀하십니다. 빛이라는 말을 오해하기가 쉽습니다. 이 빛은 단순히 어둠을 밝히는 것을 뜻하지 않고, 예수 그리스도 자신을 가리킵니다. 땅에 떨어져 썩는 한 알의 밀알이 예수님을 가리키듯이, 빛은 예수님을 가리키는 상징적 단어입니다.

보통 빛을 영어로 '라이트'(light)라고 하는데 35절과 36절의 빛에는 정관사 '더'(the)가 붙어 있습니다. 다시 말해, 보통 빛이 아닌 '바로 그 빛'이라는 뜻입니다. 태양이나 전깃불, 촛불처럼 어둠을 밝히는 빛이 아니라, '바로 그 빛'(The Light)이신 예수님을 뜻합니다. 35절과 36절에 '빛'이라는 단어가 다섯 번 나오는데 네 번은 정관사가 붙고 마지막으로 나오는 빛에는 정관사가 붙지 않습니다. 이것은 매우 중요한 의미가 있습니다. 정관사가 있는 빛은 예수 그리스도를 말하고, 정관사가 없는 빛은 일반적으로 말하는 어둠을 밝히는 빛입니다.

'바로 그 빛'이신 예수님이 자신에 관해 네 가지 메시지를 남기십니다.

첫째, '바로 그 빛'이신 예수 그리스도께서 육체로 잠시 동안 사람들과 함께하시겠다고 말씀하십니다. 메시아도 영원하시고, 예수 그리스도도 영원하십니다. 그러나 사람의 아들로 오신 메시아는 곧 십자가에 못 박혀 죽게 되기에 이제 사람들과 함께 있을 시간이 얼마 남지 않았다는 것입니다. "얼마 동안은 너희와 함께 있겠다"는 말씀은 "메시아는 곧 십자가에 못 박혀 죽게 된다"는 뜻입니다.

우리 주님은 영원하십니다. 그러나 인간의 아들로 오신 예수 그리스도, 인류의 죄를 위해 십자가를 지시는 메시아는 영원히 지상에 계시지 않습니다. 때가 차면 그분은 제자들의 곁을 떠나게 됩니다. 우리는 "얼마 동안"이라는 말을 새겨 봐야 합니다. 즉 예수님은 얼마 동안 지상에 계시다가 하늘로 가실 분이라는 것을 깨닫기 바랍니다.

둘째, 예수님은 빛이 있는 동안 어둠에 붙잡혀 살지 않도록 조심하라고 말씀하십니다. 빛이란 어둠의 반대 개념입니다. 어둠의 특징은 길을 찾을 수 없다는 것입니다. 길은 빛이 있을 때 찾을 수 있습니다. 어둠이 깔린 세상에선 길을 찾을 수가 없습니다. 사람들은 길을 찾지 못하면 곧 절망하고 맙니다. 희망을 잃어버린 채 두려움에 휩싸이게 됩니다. 그러면 불안하고 우울해지며 나중에 병들어 죽게 됩니다. 인간은 희망을 잃어버리면 짐승과 같아지고, 빨리 죽음을 맞이하게 됩니다. 희망을 가질 때 암도 이기고 위기와 절망도 이길 수 있습니다. 하지만 희망을 잃으면 모든 것이 꺾이고 맙니다.

캄캄한 밤길을 걸어 본 적이 있습니까? 칠흑같이 어두운 밤에 다녀 본 적이 있습니까? 어딘지도 모른 채 한 발짝만 잘못 내디디면 낭떠러지에서 떨어질지도 모른다는 불안감을 느껴 본 적이 있습니까? 그런 경험이 있다면, 몸서리치듯이 두려웠던 그때를 잊을 수 없을 것입니다. 이것이 곧 어둠입니다.

지금까지 우리는 어둠에 너무나 익숙해져 살아왔습니다. 그래서 진정한 어둠이 무엇인지조차 모르고 살아왔습니다. 현실이 칠흑 같은 어둠이라는 사실은 빛을 바라볼 때 알게 됩니다. 예수님은 "너는 어둠에 있고 그 어둠에 익숙하게 살아왔다. 하지만 이제 빛이 있으니 그 빛이 있는 동안 어둠에 다시 사로잡히지 않도록 하라"고 말씀하십니다.

셋째, 예수님은 빛이 있는 동안 그 빛을 믿으라고 말씀하십니다. 어둠을 몰아내는 유일한 방법은 빛을 찾는 것이고, 빛을 믿는 것이며, 그 빛을 소유하는 것입니다. 그 외에 다른 선택은 없습니다. 자신 안에 있는 어둠과 저주, 절망, 좌절, 죽음의 세력을 몰아내는 것은 철학이나 논리가 아니고, 학문이나 돈도 아니며, 명예나 권력도 아닙니다. 오직 빛만이 그 세력을 몰아낼 수 있습니다. 빛이 임하면 어둡고 암울하던 영혼은 생기가 돌고 신선해집니다.

빛이 있는 동안 어둠은 결코 존재할 수 없습니다. 추우면 온기가 있는 데로 가면 됩니다. 배가 고프면 밥을 먹으면 됩니다. 배고픈 사람이 제아무리 "배고픈 귀신아, 물러가라"고 외쳐도 배고픔은 여전합니다. 외로움을 느낄 때 사람을 만나면 됩니다. 외롭다고 하면서 사람 만나기를 거부한 채 비판만 일삼고 있다면 더욱 외로워집니다. 내가 보기에 외로움은 본인 스스로 만드는 것 같습니다. 이 사람도 싫고 저 사람도 싫다며 모두 쫓아 버린다면 외로울 수밖에 없습니다.

빛과 어둠은 공존하지 못합니다. 빛을 비추면 어둠은 즉시 사라집니다. 선과 악도 마찬가지입니다. 하나님과 사탄은 공존할 수 없습니다. 성령님과 귀신도 공존할 수 없습니다. 지금 이 순간에도 예수님은 우리에게 단호하게 도전하십니다. 빛이 있는 동안 그 빛을 믿으며 받아들이라고 말씀합니다. 빛이 있으면 어둠에 붙잡히지 않고 그 빛 안에 살게 될 것입니다.

불신앙의 뿌리를 뽑고 잘라내고 태우라

넷째, 우리가 빛으로 들어와 살면 빛의 아들이 된다고 말씀하십니다. 세상에는 두 종류의 사람이 있습니다. 빛의 자녀와 어둠의 자녀입니다. 어둠의 자녀는 가인의 후예입니다. 그들은 착하게 살고 싶어도 마음먹은 대로 되지 않습니다. 마음속에서 부정이나 비판, 음란, 거짓 등 어둠의 세력이 독버섯처럼 계속 솟아나기 때문입니다. 자신도 모르게 저주와 죽음, 어둠의 세력에 지배당하게 됩니다. 그러나 빛의 자녀는 하나님을 섬기고 하나님의 일꾼이 됩니다. 상상도 못할 새로운 삶을 살게 됩니다.

예전에 연예인교회를 섬길 때, 성도 중에 유명한 연예인이 있었습니다. 그분은 말의 95퍼센트가 욕이었습니다. 입에서 욕이 아주 쉽게 나왔습니다. 내가 전도했던 분인지라 이제 욕 좀 그만하자고 말하기도 했습니다. 그러자 그분은 "전도사님, 저는 욕을 하지 않으면 입이 근질근질해요. 말끝마다 욕을 넣어야 말을 한 것 같아요"라고 대답했습니다.

우리 입술에서 욕이 사라지길 축원합니다. 저주의 말이 사라지길 축원합니다. 분노하고 화내는 것이 사라지길 축원합니다.

예수님이 이와 같이 설명해 주셨지만 사람들은 그 말씀의 뜻을 알아듣지 못했습니다. 그 말씀의 언어와 문구는 알고 있었지만, 속뜻은 알지 못했습니다. 한 시간 동안 인내심으로 설교를 듣는 것이 아니라 설교를 들으면서 성령을 받게 되길 축원합니다.

사람은 하나님의 음성을 들어야 하지만 불신앙 때문에 듣지 못한 채 살고 있습니다. 불신앙이란 단순히 이성적이고 지성적인 현상이 아니라 영적 현상입니다. 불신앙의 깊은 곳에 어둠의 영이 있습니다. 기적이나 표적을 보게 되더라도 "그래도 안 믿어"라고 말합니다. 이것이 불신앙입니다.

불신앙의 깊은 곳에 오만과 교만이 있습니다. 이성과 논리와 합리성을 뛰어넘는 교만이 불신앙입니다. 단지 논리에 맞지 않고 사리에 맞지 않는다고 해서 믿지 않는 것이 아닙니다. 그 배후에 어둠의 영이 있기 때문에 믿지 않는 것입니다. 믿지 않는 이유에 대해 "비합리적이다, 비논리적이다, 비상식적이다"라고 말하는 것은 자기방어를 위한 변명에 불과합니다. 영혼 깊은 곳에 하나님을 거부하는 불신앙의 영이 있어서 믿지 못하는 것입니다.

예수께서 이 모든 표적을 그들 앞에서 행하셨음에도 불구하고 그들은 여전히 예수를 믿지 않았습니다(요 12:37).

36절 하반절에 보면 "이 말씀을 하신 후 예수께서는 그들을 떠나서 몸을 숨기셨습니다"라고 기록하고 있습니다. 이것으로 예수님은 더는 사람들에게 모습을 드러내지 않으십니다. 예수님의 공적 활동이 끝난 것입니다.

그 후 예수님은 사랑하는 제자들과 함께 다락방에 오십니다. 이것은 공적 활동이 아니라 열두 제자를 불러놓고 개인적으로 말씀하시는 것입니다.

혹시 우리 마음에 불신앙이 있다면 그 어둠의 영이 깨어지는 복이 있기를 축원합니다. 불신앙은 이성이나 지성의 문제가 아니라 마음속 깊은 곳에 뿌리를 내린 오만과 교만과 거짓의 문제입니다. 이를 성령의 칼로 잘라 내고 성령의 불길로 태워 버려야 합니다.

이제 우리는 사탄의 종이 아니라 하나님의 자녀입니다. 참 빛이신 예수 그리스도를 믿고 받아들인 빛의 아들이고 세상을 밝히는 축복의 자녀입니다. 그러므로 세상 모든 사람에게 이 빛을 비출 수 있습니다.

19

왜 나를
구원하십니까?

요한복음 12:38-50

불신앙과 두려움 때문에 예수님을 믿지 못하다

예수님이 행하신 기적을 보고도 믿지 않는 사람이 있다는 것은 참으로 이상한 일입니다. 예수님을 대면하고 말씀을 직접 듣고 기적을 경험하고도 주님을 거부하는 사람들이 있습니다. 도무지 이해할 수 없는 일입니다.

이처럼 사람들이 예수님을 거부하는 이유를 성경은 두 가지로 설명합니다. 첫 번째 이유는 불신앙입니다. 인간의 마음은 죄로 인해 돌덩이처럼 완고하게 굳어져 있습니다. 세상에서 가장 불행한 사람은 강퍅한 마음을 가진 자입니다. 그런 사람은 스스로 변화하지 않으려고 합니다. 옛 생각, 고정 관념 등을 그대로 갖고 있습니다. 그래서 진리나 기적을 보고도 무시해 버리고 믿지 않습니다.

예수님 당시에도 불신앙으로 마음이 완악해진 사람이 많았습니다. 이사야 선지자가 예언한 대로 그들의 마음이 불신앙으로 가득 차 있었기 때문입니다.

예수께서 이 모든 표적을 그들 앞에서 행하셨음에도 불구하고 그들은 여전히 예수를 믿지 않았습니다. 이것은 예언자 이사야의 말을 이루려는 것입니다. "주여, 우리의 전한 것을 누가 믿었으며 주의

팔이 누구에게 나타났습니까?" 그들이 믿을 수 없었던 까닭을 이사야가 다시 이렇게 말했습니다. "주께서 그들의 눈을 멀게 하셨고 그들의 마음을 무디게 하셨으니 이는 그들이 눈이 있어도 보지 못하게 하고 마음으로 깨달아 돌이키지 못하게 해 내게 고침을 받지 못하게 하기 위함이다"(요 12:37-40).

이사야 선지자는 영혼이 굳어져 버린 완악한 사람을 가리켜 "눈이 있어도 보지 못하고, 귀가 있어도 듣지 못하고, 가슴이 있어도 느끼지 못한다"고 말했습니다. 그들이 예수님을 보고도 믿지 못하며, 예수님의 설교를 듣고도 믿지 못하는 까닭은 그들 마음이 완고하기 때문입니다. 우리는 굳은 마음을 풀고 고정 관념을 깨뜨려 예수 그리스도의 영광스러운 기적과 축복 안에서 새로워지길 힘써야 합니다.

당시 사람들이 예수님을 믿지 않고 거부한 두 번째 이유는 출회될까 봐, 퇴출당할까 봐, 사회 조직에서 밀려날까 봐 두려워했기 때문입니다.

지도자들 중에서도 예수를 믿는 사람들이 많았으나 바리새파 사람들 때문에 자기 믿음을 고백하지 못했습니다. 회당에서 쫓겨날까 봐 두려웠기 때문입니다. 그들은 하나님의 영광보다 사람의 영광을 더 사랑했던 것입니다(요 12:42-43).

그들은 예수님을 보고 '저분이 하나님의 아들이구나. 저분은 진짜 메시아구나'라고 생각했을지도 모릅니다. 그러나 그들은 주변 사람들과 사회로부터 배척당하는 것을 두려워했습니다. 그래서 예수님이 하나님의 아들이시고 메시아이신 것을 믿고 있었지만 드러나게 표현하진 못했습니다.

오늘날 우리 사회도 마찬가지입니다. 교회에선 예수님을 잘 믿지만 세상에선 꼬리를 감춰 버립니다. 회사에서 술 마시러 가자면 잘 따라가고, 동료들에게 예수쟁이라는 말 듣는 것을 싫어합니다. 성경책을 들고 다니길 꺼려합니다. 예수님을 믿어야 한다고 말해야 하는 상황에서 슬그머니 자리를 피해 버립니다.

본문이 그 이유를 분명히 가르쳐 주고 있습니다. 사람의 영광을 하나님의 영광보다 더 사랑하기 때문입니다. 이 말씀은 역설적으로 하나님보다 사람을 더 무서워한다는 뜻입니다. 사회에서 인정받고 싶어 하고 '왕따' 당하기 싫어한다는 뜻입니다. 그래서 사람들은 겉으로 예수님을 거부하는 것입니다.

우리는 사람이 많은 식당에서도 남을 의식하지 않고 떳떳하게 기도할 수 있어야 합니다. 식탁 밑으로 손을 내리고 짧게 "하나님 땡큐" 하는 식으로 기도하지 말고, 예수님에 대한 믿음을 자신 있고 당당하게 사람들 앞에서 표현할 수 있어야 합니다.

빛 가운데 거해야 심판을 모면한다

예수님은 대중에게 마지막으로 하신 설교에서 짧지만 중요한 세 가지 메시지를 전하십니다. 첫째, 예수님과 하나님 아버지는 하나라는 것입니다.

> 예수께서 큰 소리로 말씀하셨습니다. "나를 믿는 사람은 나를 믿는 것이 아니라 나를 보내신 분을 믿는 것이요 나를 보는 사람은 곧 나를 보내신 분을 보는 것이다"(요 12:44-45).

예수님은 "나를 믿는 것은 나를 보내신 하나님을 믿는 것이다. 너희는 나를 보고 있지만 실은 하나님을 보고 있는 것이다"라고 말씀하십니다. 여기서 예수님은 스스로 하나님과 동등한 존재임을 밝히십니다. 예수님과 하나님은 한 분이십니다. 예수님은 한 번도 이 생각을 흐트러뜨려 놓으신 적이 없습니다. 예수님은 십자가에 못 박혀 죽으실 때 "내 하나님, 내 하나님, 어째서 나를 버리셨습니까?"라고 말씀하지만, 자신은 언제나 하나님과 하나이심을 말씀합니다.

이것이 능력입니다. 우리는 '하나님의 자녀'라는 믿음을 굳게 가져야 합니다. 인생을 살면서 실패와 고난과 죽음에 직면해서도 "나는 하나님의 자녀다. 모든 것이 합력하여 선을 이룰 것이다. 하나님께서 나를 위해 아낌없이 주실 것이다. 누구라도 그리스도의 사랑에서 나를 끊을 수 없다"고 선포해야 합니다. 어떤 사건이나 상황에서도 하나님 아버지와 완전히 밀착돼 있어야 합니다. 우리의 믿음은 이리저리 왔다 갔다 하는 데 문제가 있습니다. 하나님을 믿지 못하는 데 문제가 있는 게 아니라 중심 없이 우왕좌왕하는데 문제가 있습니다. 때로 믿고 때로 믿지 않으면서 의심하는 마음이 문제입니다.

둘째, 예수님은 세상에 빛으로 오셨고, 주님을 믿는 자는 누구든지 어둠에 다니지 않는다고 말씀하십니다.

나는 빛으로 이 세상에 왔다. 나를 믿는 사람은 누구든지 어둠 속에 머무르지 않을 것이다(요 12:46).

예수님은 자신이 "세상의 빛"(요 8:12)이라고 말씀하십니다. 빛이 오셨지만 세상은 그 사실을 깨닫지 못했습니다. 또한 "어둠이 너희를 삼키지 못하도록 빛이 있는 동안에 걸어 다니라. 어둠 속에서 다니는 사람은 자기가 어디로 가는지 알지 못한다"(요 12:35b)고 말씀하십니다.

빛이 있으면 어둠은 존재할 수 없습니다. 빛 안에선 회전하는 그림자도 없습니다. 예수님은 빛이십니다. 예수님이 계시는 동안에 우리는 어둠의 생각을 갖지 않게 되며 어둠에 사로잡히지 않게 될것입니다. 빛이 없으면 칠흑 같은 어둠 속에서 살게 되고 어둠의 생각으로 행동하게 됩니다. 이 세상은 어둠의 자식들로 가득 차 있습니다. 그러나 예수님은 빛이시며 빛이 있는 동안에는 어둠이 존재하지 않는다고 말씀합니다.

우리는 빛이신 예수 그리스도께서 우리 인생 안으로 들어오셨음을 믿어야 합니다. 태양은 동쪽에서 떠오를 때부터 있는 게 아니라, 그 이전부터 이미 있었습니다. 마찬가지로 우리가 예수님을 믿기 전부터 그분은 이미 존재하고 계셨습니다. 태양이 떠 있는 동안에 천지 만물이 햇빛을 받습니다. 마찬가지로 빛이신 예수 그리스도께서 계시는 동안 우리는 어둠에 거하지 않습니다.

우리 안에 있는 모든 어둠이 사라지기를 축원합니다. 더러운 생각과 행동이 떠나가기를 바랍니다. 빛이 있는 동안 모든 불의와 부정과 부패가 사라져 우리가 어둠에 거하지 않기를 바랍니다.

셋째, 예수님이 세상에 오신 목적은 세상을 심판하려 함이 아니라는 것입니다.

> 내 말을 듣고 지키지 않는 사람이 있다 해도 나는 그 사람을 심판하지 않는다. 나는 세상을 심판하러 온 것이 아니라 구원하러 왔기 때문이다(요 12:47).

주님은 분명히 "세상을 심판하러 온 것이 아니라 구원하러"오셨다고 말씀하십니다. 그런데 47절 첫 부분에 놀라운 말씀이 있습니다. "내 말을 듣고 지키지 않는 사람이 있다 해도 나는 그 사람을 심판하지 않는다"고 말씀하십니다. 우리는 무심코 "예수님을 믿지 않으면 지옥에 간다. 예수님을 믿지 않으면 구원을 받지 못한다"고 말합니다. 그런데 예수님은 "내 말을 듣고 지키지 않는 사람이 있다 해도 나는 그 사람을 심판하지 않는다"고 말씀하십니다. 이는 다음 말씀과 일치합니다.

> 하나님께서 세상을 이처럼 사랑하셔서 외아들을 주셨으니 이는 그를 믿는 사람마다 멸망하지 않고 영생을 얻게 하려는 것이다. 하나님께서 자신의 아들을 세상에 보내신 것은 세상을 심판하시려는 것이 아니라 그 아들을 통해 세상을 구원하시려는 것이다(요 3:16-17).

> 그렇다고 내가 아버지 앞에서 너희를 고소하리라고는 생각하지 말라. 너희를 고소하는 사람은 너희가 소망을 두고 있는 모세다 (요 5:45).

다시 말해 우리를 하나님께 고소하는 자는 모세라는 것입니다.

예수님은 우리를 고소하고 심판하여 지옥에 던지려고 세상에 오신 것이 아닙니다. 예수님은 한 사람이라도 심판을 받고 지옥으로 가는 것을 못 견뎌 하시는 사랑의 주님입니다. 그래서 예수님은 자신의 말씀을 듣고 지키지 않아도 심판하지 않는다고 말씀하십니다.

> 나를 거절하고 내 말을 받아들이지 않는 사람을 심판하시는 분이
> 따로 계시다. 내가 말한 바로 이 말이 마지막 날에 그를 심판할 것이
> 다(요 12:48).

예수님은 마지막 날에 우리를 심판하시는 이가 따로 있다고 말씀하십니다. 곧 "내가 말한 바로 이 말이 마지막 날에 그를 심판할 것"이라고 말씀하십니다. 예수님이 하신 말씀이 마지막 날에 심판의 근거가 된다는 것입니다.

성경은 "아들을 믿는 사람은 심판을 받지 않는다. 그러나 믿지 않는 사람은 이미 심판을 받았다. 하나님의 독생자의 이름을 믿지 않았기 때문"(요 3:18)이라고 말합니다. 또한 하나님의 독생자 예수 그리스도를 믿지 않는 사람은 이미 심판을 받은 것이라고 말합니다. 예수님은 "이미 저들은 심판을 받은 것이지만, 나는 저들이 심판받기를 원하지 않는다"고 말씀하십니다.

그러나 사람들은 하나님의 아들이신 예수 그리스도를 믿지 않습니다. 예수님을 만나 직접 말씀을 듣고 기적을 보면서도 주님으로 인정하지 않습니다. 만약 우리가 하나님의 아들을 인정하지 않는다면, 그것으로 말미암아 심판과 형벌을 받게 되는 것입니다.

예수님이 하신 말씀이 마지막 날에 심판과 형벌의 기준이 됩니

다. 그래서 예수님은 믿지 않는 사람들을 안타까워하고 가엾게 여기며 한 사람이라도 심판과 형벌을 받지 않게 되기를 바라십니다.

아무도 멸망하지 않기를 바라는 사랑

예수님은 이 말씀을 하신 후에 십자가를 지십니다. "너희는 나의 말로 심판을 받게 되므로 내가 너희를 구원하기 위해 십자가를 진다. 내 살이 찢기고 피를 흘리며 생명을 바쳐서 너희가 받아야 할 심판과 형벌을 내가 대신 받겠다. 이제 나는 너희를 위해 십자가를 지러 간다. 너희가 당해야 할 형벌을 내가 담당하겠다. 나를 믿으라. 하나님의 독생자를 믿어 심판과 형벌에서 벗어나라"고 말씀하십니다. 우리가 예수님을 믿지 않는다면 이미 심판을 받은 것입니다.

성경은 "하나님을 알지 못하는 사람들과 우리 주 예수의 복음에 복종하지 않는 사람들에게 형벌을 내리실 것"(살후 1:8)이라고 말합니다. 이 말씀에서 우리는 세 가지 사실을 발견할 수 있습니다.

첫째, 세상에 종말이 있다는 것입니다. 세상은 영원하지 않습니다. 모든 것에는 시작과 끝이 있습니다. 생명의 탄생이 있으면 죽음도 있기 마련입니다. 모든 역사는 전진과 후퇴를 거듭하면서 영원히 발전하는 것이 아니라 흥하고 망하는 것이 원칙입니다.

나는 한 가지 사실을 분명히 예언할 수 있습니다. 세상 모든 사람은 반드시 죽는다는 것입니다. 죽지 않고 영원히 사는 사람은 아무도 없고 그럴 방법도 없습니다. 윤회도 있을 수 없습니다. 사람이 죽은 후에 개나 소로 다시 태어날 수도 없습니다. 인간이 신으로, 신이 인간으로 될 수도 없습니다. 세상의 모든 것은 반드시 종말을 맞이하게 됩니다.

둘째, 마지막 날에 심판이 있다는 것입니다.

셋째, 심판의 결과는 아들을 믿는 자에게 구원이 있고 아들을 믿지 않는 자에게 구원이 없다는 것입니다. 예수님은 심판에 대해 자의로 말한 게 아니라고 선언하십니다. "나를 보내신 아버지께서 하신 말씀"임을 분명히 밝히십니다. 하나님 아버지께서 하신 명령임을 천명하신 것입니다.

심판의 기준인 예수님의 말씀은 예수님 자신도 바꾸실 수 없습니다. 그래서 마지막 날에 형벌을 받아 지옥으로 가는 것을 한 사람이라도 면하게 하시려고 예수님이 친히 십자가에 못 박혀 죽으신 것입니다. 우리가 감당해야 하는 모든 심판과 형벌 그리고 저주를 예수님은 대신 감당하신 것입니다. 이것이 십자가입니다.

그래서 십자가 형벌을 앞두고 예수님의 마음은 매우 고독하고 안타까우며 절절하십니다. 그 마음을 어떻게 형용할 수 없습니다. 이것이 인간의 영혼을 구원하시기 위한 예수님의 심정입니다. '메시아를 믿지 않으면, 독생자를 믿지 않으면, 십자가를 믿지 않으면 모두 심판을 받을 텐데….' 예수님은 고통 중에 죽어 가는 인간의 영혼들을 불쌍히 여기십니다. 그래서 우리를 위해 형벌의 십자가를 대신 지신 것입니다.

예수님은 "수고하고 무거운 짐을 다 내려놓고 내게로 와서 편히 쉬어라. 모든 죄책감과 죗값에서 해방되어라. 너희가 짊어져야 할 죗값을 내가 대신 지겠다"고 말씀하십니다. 그러나 이 사실을 믿지 않는다면, 예수님이 지신 십자가는 우리에게 아무 소용이 없게 됩니다.

> 나는 내 뜻대로 말하지 않았다. 오직 나를 보내신 아버지께서 무엇을 말해야 하고 무엇을 이야기해야 할지 내게 명령해 주셨다. 나는 그가 주신 명령이 영생이라는 것을 안다. 그러므로 나는 무엇이든지 아버지께서 내게 말씀해 주신 대로 말한다(요 12:49-50).

이것은 예수님이 하신 마지막 설교입니다. "이것은 내가 자의로 말하는 것이 아니다. 하나님 아버지께서 나에게 주신 말씀이다. 하나님의 말씀은 영생이다. 나는 아버지의 말씀대로 이뤄질 것임을 안다. 이제 나는 사람들에게 형벌을 받지 않게 하려고, 지옥으로 가지 않게 하려고 십자가를 질 것이다. 그 십자가를 바라보아라. 그러면 너희의 죄, 심판, 형벌이 모두 사라질 것이다. 마지막 날에 구원을 받을 것이다. 이 사실을 믿어라."

말씀하신 대로 예수님은 우리를 대신해 십자가를 지셨습니다.

그러나 세상에는 예수님이 우리 죄로 인해 십자가를 지셨다는 소식을 아직도 모르고 있는 사람이 얼마나 많은지 모릅니다. 예수님이 어떤 분이신지를 모르는 사람이 너무나 많습니다. 우리는 땅끝까지 가서 "예수님은 온 인류를 위해 십자가에 못 박혀 죽으시고 부활하셨다"고 외쳐야 합니다. 그래서 마지막 날에 그들이 심판을 받지 않도록 도와줘야 합니다.